●Act23 再生——NEVER ENDING……………4
●Act24 無限1——予感……………………110

美少女戦士セーラームーン
前巻リプレイ

プリンセス・セレニティ
うさぎの前世の姿

この物語の主人公

ちびうさ
うさぎの子ども。

ルナP

月野うさぎ↔セーラームーン
うさぎは，ドジな女の子。セーラームーンに変身して，正義のために戦う!!

うさぎとともに戦う美少女戦士たち

セーラープルート

火野レイ↔セーラーマーズ

水野亜美↔セーラーマーキュリー

ルナ　アルテミス
ダイアナ

愛野美奈子↔セーラーヴィーナス

木野まこと↔セーラージュピター

これまでのお話

☆主人公の月野うさぎは，ドジで泣き虫な中学2年生の女の子。しかし，じつは，正義のために戦う美少女戦士セーラームーンなのです。
☆黒ネコのルナや，4人の美少女戦士とともに，ダーク・キングダムの野望をなんとか打ちくだきました。
☆しかし，平和なときがおとずれたと思ったのはつかのまで，〝ちびうさ〟がとつぜんあらわれました。ちびうさは，ブラック・ムーンにおわれて未来からきたことがわかり，未来の地球を救うためうさぎたちは，30世紀へ。ところが，ちびうさが洗脳され，ブラック・レディに!! 〝幻の銀水晶〟もうばわれ，最大のピンチに……。

Act 23 再生——
NEVER ENDING

美少女戦士
セーラームーン

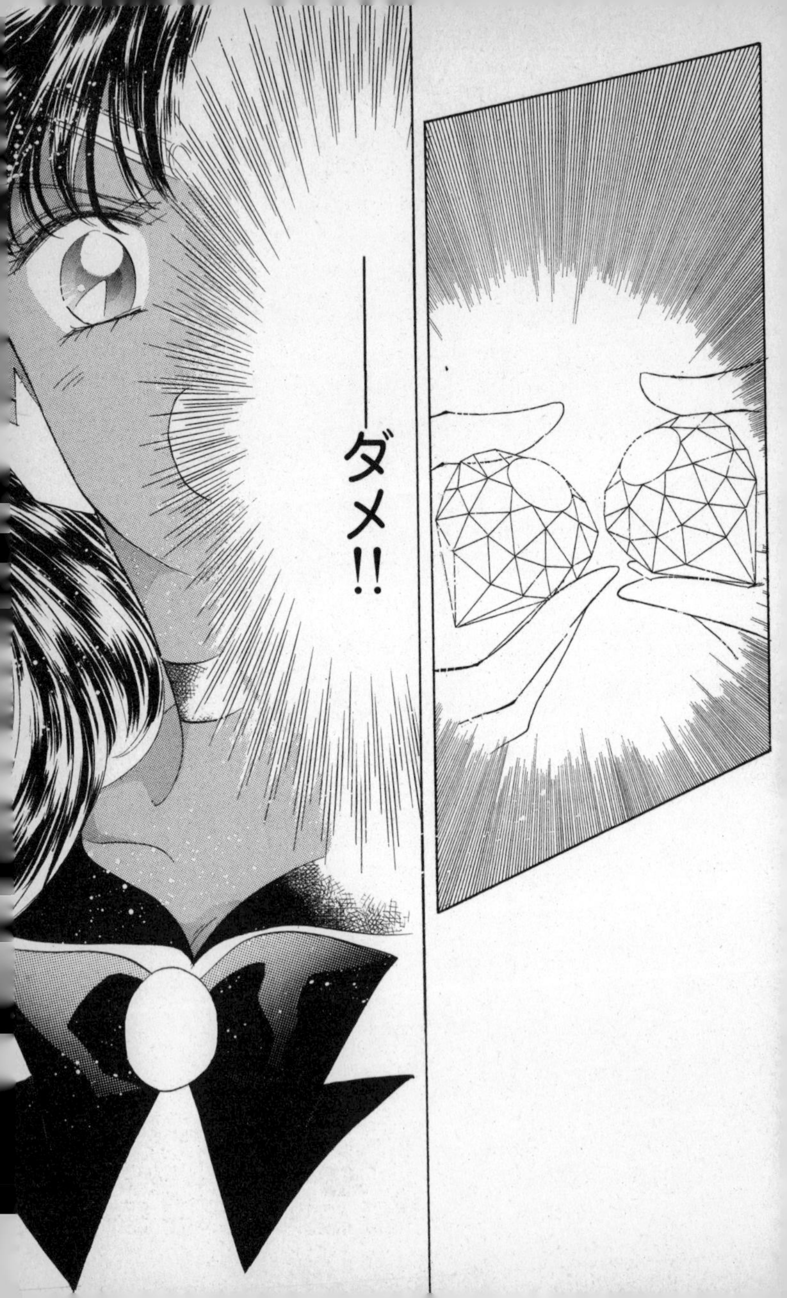

――ダメ!!

――おわりだ!
すべて消滅(しょうめつ)する――!!

――とまれ！

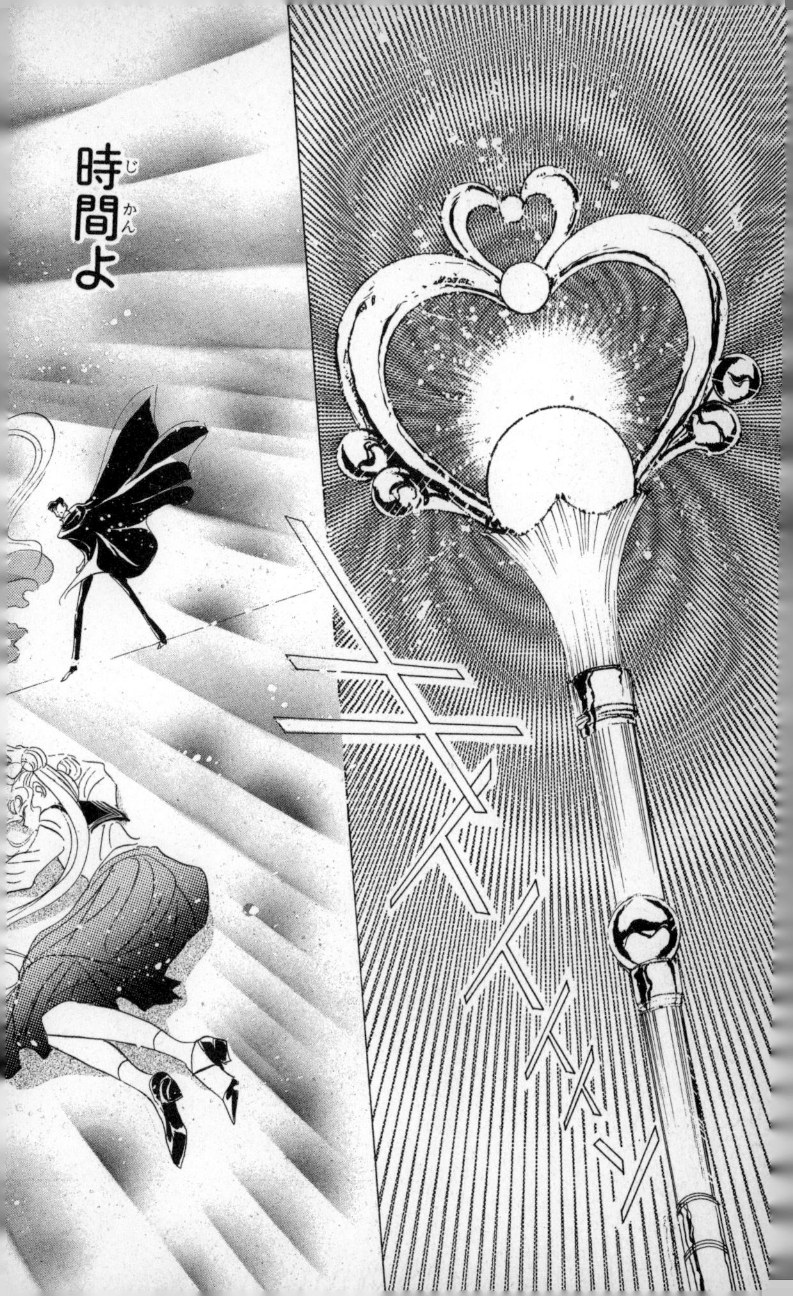

時間よ
キィィィィン

とまれ――!!

——プルート

はい
クイーン・セレニティ

三つめの
タブー

それは
時間を
とめては
いけないこと

あなたと
あなたのもつ
そのガーネットロッドには
時空を動かす力が
そなわっています

でも けっして
どんなことがあっても

——時間を
とめてはいけない——

——もしも
このタブーを
おかしたとき……

!?
——なにも
……おこらない!?
——静止(せいし)している!?
!?
プルート!?
キラ
キラ

――まさか……
時間をとめたのか――!?

!?
さっきまでの息苦しさがない……？
――これは
――アルテミス！

みんな……静止している……!!
――なにも動いてない……！
ネメシスも……!?
空気さえも……
みんなこおりついたみたいにとまってるわ！
――時間がとまってる!?

…ポウッ
…フッ
ガクッ
……うさ……
こ……
ピクッ
…フッ

プルート!?
カラン カラン
しっかりして!プルート!
──なんてムチャを……時間をとめるなんて
プルートが時間を!?
──時間をとめるなど

最大の禁忌!?
みずから最大の禁忌をおかすなんてプルート……
はあ
はあ
……う…くっ…
プルート!?
―最大の禁忌って?
どういうこと!?
それをおかしたプルートは!?
―どうなるの!?
―プルート
そのときは

みずから
ほろびるでしょう

──みずから
ほろびる──
はあ
はあ
……時間が
とまったままの
この状態は……
長くは……
もちません
セーラームーン……

──プリンス・
デマンドから
──そっと
二つの……
「幻の銀水晶」を
とりもどすのです
プルート！
はやく！
はあ
はあ

…ス
!!
……からだに思うように力がはいらない――!
はあ はあ
――プルート
「幻の銀水晶」をとりもどしたわ見て
よかった…

あなたの
おかげよ
プルート
わたし……
ずっと あなたたちの
役に
立ちたかった……
いっしょに
戦えたらって
ずっと……
……思ってたの……
──セーラームーン
──未来の
ネオ・クイーン
セレニティ
あなたは
ずっと
わたしの
あこがれだった…
セーラームーン
……どうか

スモール・
レディを
救ってあげて……!!
プルート!
しっかり
するのよ!
ホッ
ホッ
もうすこし
もうすこしで
いいから
もちこたえるんだ
プルート!
そうすれば――
……キング
わたしは自分で
おかした罪を……
つぐなわなければ
なりません……

…スッ
……ダイアナ
リ…ン
プルート!?
ふわっ
…スタッ
スタッ
プルート!?
ダイアナ……
ありがとう……ダイアナ……
わたしのかわりに扉の衛をしてくれて……
プルート!? しっかりして!!

……わたし……
自分の使命に
とても
誇りを……
もっていました……
……キング……
……あなたの
顔が
こんな近くに
ある……
……そんな顔を
しないで……
――ラベンダーのマント
美しい
うすむらさきの
……朝焼けの
色だわ

キング……
プルート……！
スモール・レディを守りきれなくて……
…ごめんなさい…
スモール・レディ……

…カラン
プルート!!
目をあけて!!
いやあぁ

プルート!!
──スモール・レディ
……あたしは
……ブラック・レディよ
──あたしには
仲間や友だちなど
いない
あたしは
ひとりよ

これは
時空のカギ
時間を
旅することのできる
とても たいせつな
カギです。
──あのとき
…フッ
スモール・レディ!?
スッ
ボボ!
ブチッ
ゴホッ
スモール・レディ!!
ゴホッ

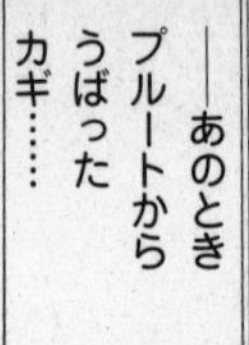
――あのとき
プルートから
うばった
カギ……

プルート！
大好きよ
あたしの
たった
ひとりの友だち

――プルートに
会ってること
ママに
しかられちゃった
あたしの
たいせつな
友だちって
いったのに

……ママは
あたしのこと
好きじゃ
ないのかな

プルート
スモール・レディは
あなたのジャマを
していない？
ひとりで
あなたのところへ
いかせて
だいじょうぶかしら？

――だきしめて
キスをするだけが
愛してる
証拠じゃないわ
スモール・レディ

遠くから
そっと
思うだけの
見守る
愛のかたちだって
あるの
……あふれてくる
……この感情は
なに？
……どうして…
涙が
でるの？
——
——ブラック・……
レディ……!?

──あたしの
いちばん たいせつな
友(とも)だち……
プルート……
プルート!!

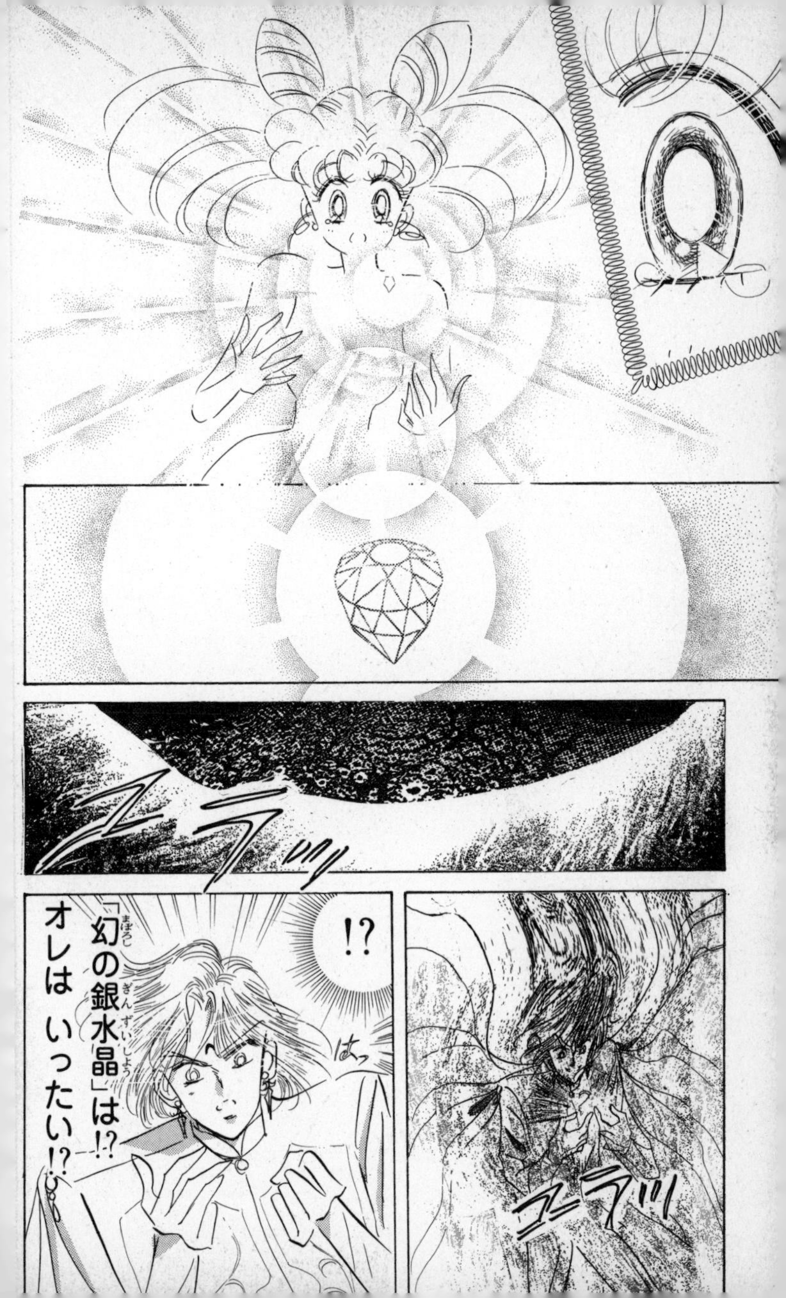
ユラッ
ユラッ
!?
はっ
「幻の銀水晶」は!?
オレは いったい!?

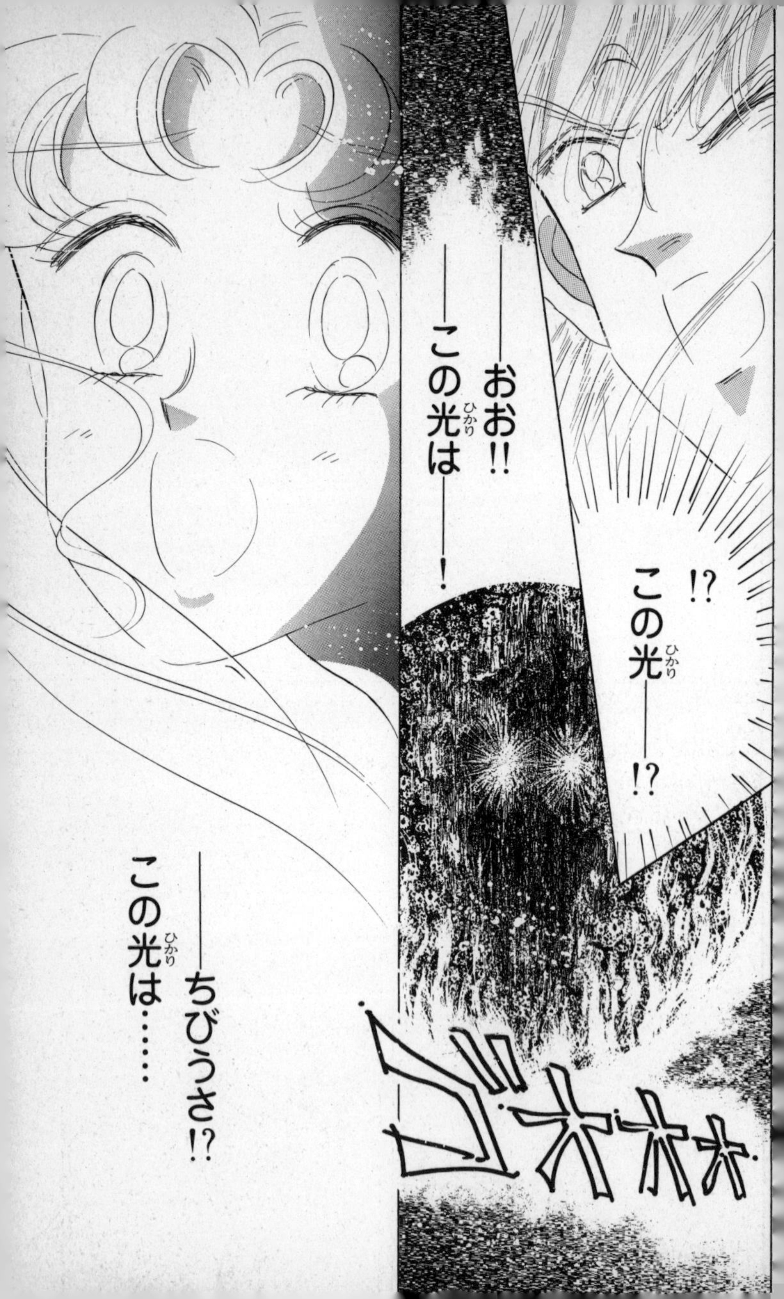
この光——!?
!?
——おお!!
この光は——!
ゴオオオ
——ちびうさ!?
この光は……

――ちびうさ……!?

――スモール・レディ……!!
変身した……!
ちびうさ――!
……うさぎ…
あたし……!
――新しいセーラームーンを受け継ぐ戦士の…
誕生だ……!
まもちゃん……!!

新しい戦士のめざめだ――!
……パパ…!!
プルート……
あたし……
……見て
変身できたの
あたしを
見てよ
プルート
プルート……
せっかく
変身
できたのに……
ちっとも
うれしくないよ!
目をさましてよ!
プルート!
…ちびうさ……!!

グッ
——人の純粋な心を
あやつったり
——もてあそんだり
戦わずに
すむはずだった人を
まきこんだり……！
ゴオオオオ
ゆるせない！
ムーーン・
クリスタル・
パワーーー

メイク・アップ!!
このあたしセーラームーンが月にかわっておしおきするわ！

ゴゴゴオオオ
ネメシス!!
ギャーアアア
おお
邪気をはねのけた!?
なんと すばらしい力!
まだまだ わたしに
立ちむかってくるか

セーラームーン……
──なんて
強い心の
持ち主なの──

——もう
だれも
死なせや
しない
ネメシス！
おまえなんかに
これ以上 この星を
好きかってには
させないわ！
……あたしも
こんなふうに 強く
敵に立ちむかって
いくの!?

グ…ニャ…
——残念だが
ちっぽけな
おまえたちなど
いまや
わたしの
手のなか
ズワッ
!?

つつまれた!?
「邪黒水晶」の
ゆがんだ
空間に!?
わたしが すこし
手を加えただけで
おまえたちなど
こっぱみじんだ
くくくっ
――ワイズマンに
やらせるくらいなら
この
オレが!
やる!
うさこ!

まもちゃん……!!
ロッドが……!
二人の力で……!!

若き王子
プリンス・デマンド
幼すぎたか
ザッ
何百年という
長い長い
気の遠くなるような
時をまち
はじめて力を
手にするのだと
壮大なる歴史の
創生のしくみを
教えてやったのに
おろかな輩め

ズザッ

ズズズズ…
空間が どんどん
ゆがんでいく──!

――どんどん
暗黒にのみこまれてく――
くくく
……ワイズマン……！
それが ほんとうの
おまえの姿――!?
――わが名は デス・ファントム

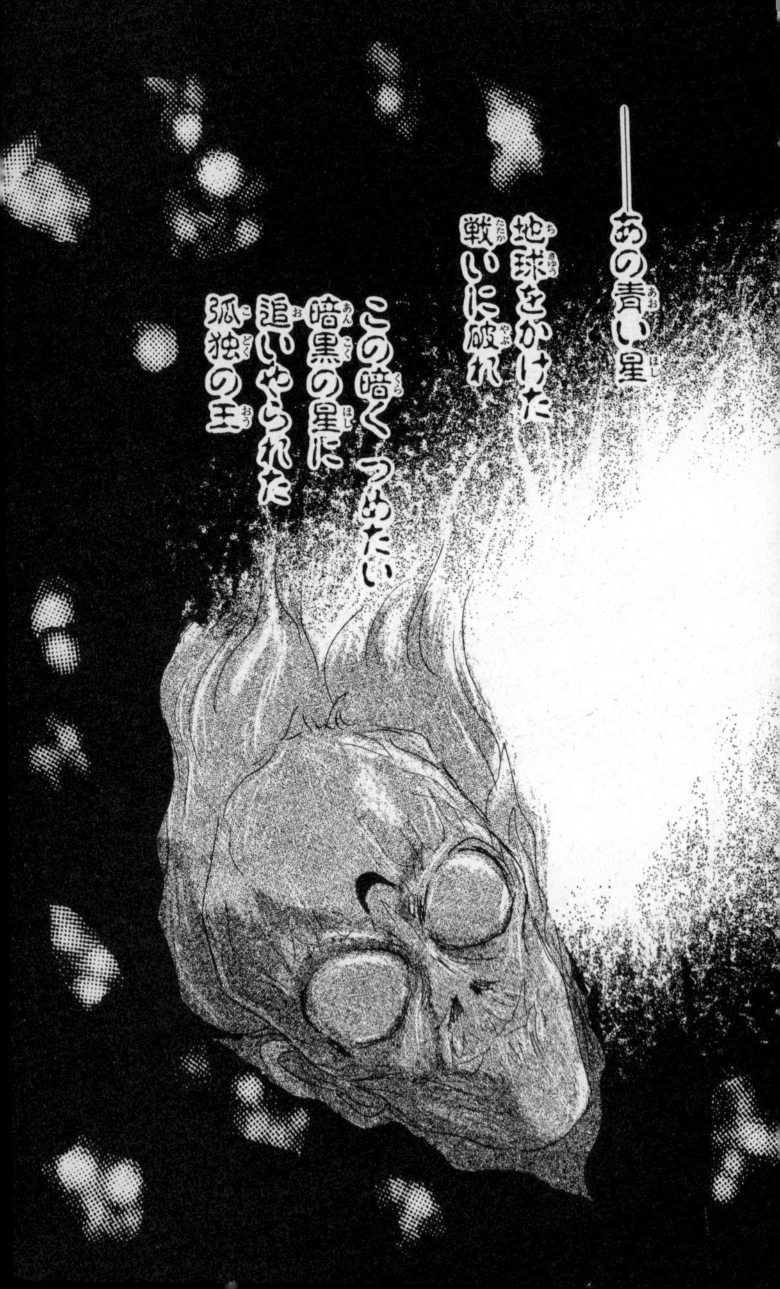

――あの青い星
地球をかけた
戦いに破れ
この暗く つめたい
暗黒の星に
追いやられた
孤独の王

デス・ファントム――!!
だが いまは
この星ネメシスが
「わたし」だ
「邪黒水晶」に
あふれた無敵の星
最強の力を
手にいれたのだ!
この巨大な
力があれば
なんでもできる!!

──何百年ものあいだに
ネメシスにしみついた
ファントムの怨念が
あの星を動かしてるの──
!?
──そんな
かたちのない
邪悪なものに
わたしはしない
この星 地球を!!
守ってみせる!!

――この星を！
わたしはしない――！

祝! セーラームーン カードダス・売上げ 1億2000万枚とっぱ!!
みんなのおかげだよ! ありがとうっ♡
ミナサマッ♡ いつもたーくさんのファンレター
ほんとに ほんとに ありがとね♡ バレンタイン、
セーラー戦士のたん生日、そして3/15のナオコのたん生日に
お花やプレゼント、カード、イラスト、ほんとにありがとう♡
とってもうれしかったよ〜ん♡
いま ほんとーに 手紙の量も多くて
時間もなくて ほとんど おへんじがかけないの。
切手まで同封してくださって
おへんじたのしみにしてるみんな
ほんとに、 ごめんね。 でもでも
ファンレターは かならず よんでますよ♡
(今年のゴールデン・ウィークは どこへもいかず まいんち
ずっと ファンレターよんで すごしたの ♡
さいきんは 写真入りや 海外からのファンレターも
あって とってもよむのが たのしいの♡)
— なんとか オモシロイセーラームーンの
まんがで御恩返しをしようと
思ってます! また
カンソーのおてがみ、イラスト
おくってね♡ まってます♡
でっかいぞ!
★ さいきんはじめたんだけど
でっかいパネルに みんなの
イラスト、にがお絵を
ぺたぺたはって、かざってるの
そのうち へや中じゅう
みんなの イラストだらけに
なるよー。♡
いっぱい
おくってね♡

――ネメシスが……
消滅(しょうめつ)した――!?

――セーラームーン!?
セーラームーンは!?
どこ!?

セーラームーン!?
……まさか
――ネメシスにのみこまれたまま
いっしょに……
消滅したのか――――?
――うそ……
セーラームーン!
――セーラームーンが
消滅するなんて……
ありえない!
そんなこと!
――うさこ!

うさこ!!
ぎゅっ
パレスが……
……ポウ
!?
熱い!
わきあがってくる
この力は……
うさこ!?
タキシード仮面!?
消えた!?

スラッ

——パパ!?
スラッ
キング!?
——パレスから
だれか
くるわ
あれは……

……ネオ・クィーン
セレニティ……!
ママ!!

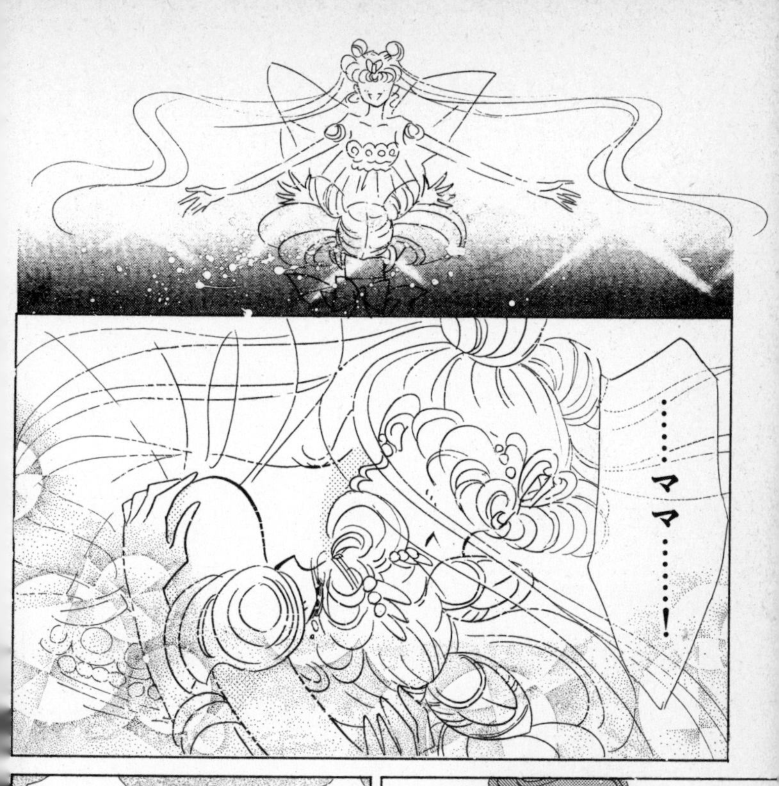
……ママ……！

……キング！
実体にもどったのですね

スモール・レディ！
目覚めたのね
あなたの目覚めが
わたしを
よみがえらせたのね
邪黒水晶の
力にも負けず
未知の力を
秘めたプリンセス！
新戦士が
誕生したのね
……ママ
ごめんなさい
……みんな
あたしの
ひきおこした
ことなの
あたし
ママみたいに
なりたくて
力がほしくって
あのとき
「幻の銀水晶」を
ママの部屋から……
こんなことに
なるなんて
思わなかったの
みんな
あたしが
わるいの

この星を
ママを
守れなかった
ことも
プルートを……
死なせて
しまったことも……
あなたのせいでは
ないわ
わかっています
もう なにも
いわないで
スモール・レディ
……つらい
思いを
したのね
それが
あなたを
こんなに
おとなにしたのね

わたしの体は
いえたわ
もう
だいじょうぶ
あなたの
力になれるわ
二人で力を合わせ
この星を
守ってゆけるのよ
スモール・レディ
ずっと
あたしは
必要ないのかと
思ってた……
――あたしの
たった ひとりの
娘――
ずっと
たいせつに
思っているわ
……これからは
少しでも
ママの力に
なって
あげられる？
――あなただけが
わたしの
たったひとりの
あとつぎの
プリンセスよ

──セーラー
ヴィーナス
マーズ
マーキュリー
ジュピター

わたしは
ネオ・クイーン
セレニティと
なってから
戦士としての
戦う力は
もう ほとんど
なくしてしまった
わたしの責任です
あの くるった犯罪者
デス・ファントムを
強い心と勇気をもって
倒すことが
できなかった
……プルートには
クリスタル・パレスでの
永遠の安らかな眠りを
約束しましょう

あなたがたが戦った「ネメシス」は
空間を歪める「邪黒水晶」が見せた幻影です
セーラームーンはその歪んだパワーにひきずられ
本体の惑星の星域へとばされた可能性が高い
──宇宙へ……?
タキシード仮面も
そこへセーラームーンによってひきよせられたのでしょう
スモール・レディいまわたしのかわりができるのはあなただけ
いまセーラームーンをさがしだしそこへいけるのはあなただけです

セーラームーンとタキシード仮面を助け出し
そしてデス・ファントムの怨念とともに巨大化し暴走をはじめたあの星「ネメシス」を
今度こそ完全に封じこめるのです
プルートからもらった時空のカギとそしてあなたの力をつかい空間をこえていけますか？
セーラームーンのもとへ
そしてセーラームーンを手助けしネメシスを封じこめるために戦えますか？
…こくん

あなたに
力を
授けるわ
…
ママの
ロッド……！
ばっ
プルート！
あたしに
力をかして！
セーラームーンの
もとへ！
クイーン！
あたしたちも
いっしょに……
──まちましょう
ここで

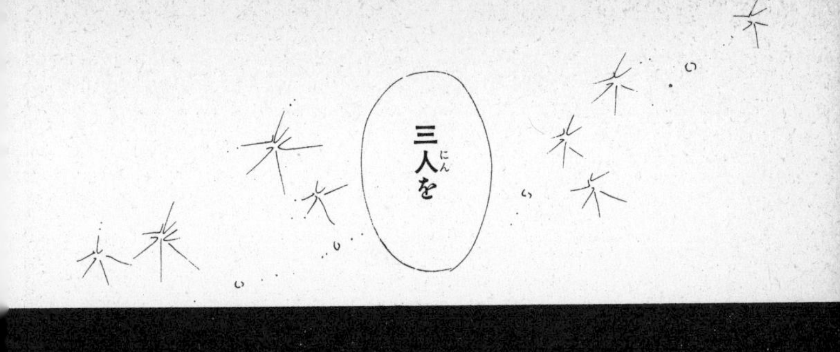

……静かだわ　とても

……なんて
さびしいのかしら
——この虚無感は
いったい……
……ここは
どこ……?
うさこ……!
…ふっ
まもちゃん……!?
ここは……!?
……オレたち
とばされて
きたらしい
——あれは……
まさか……

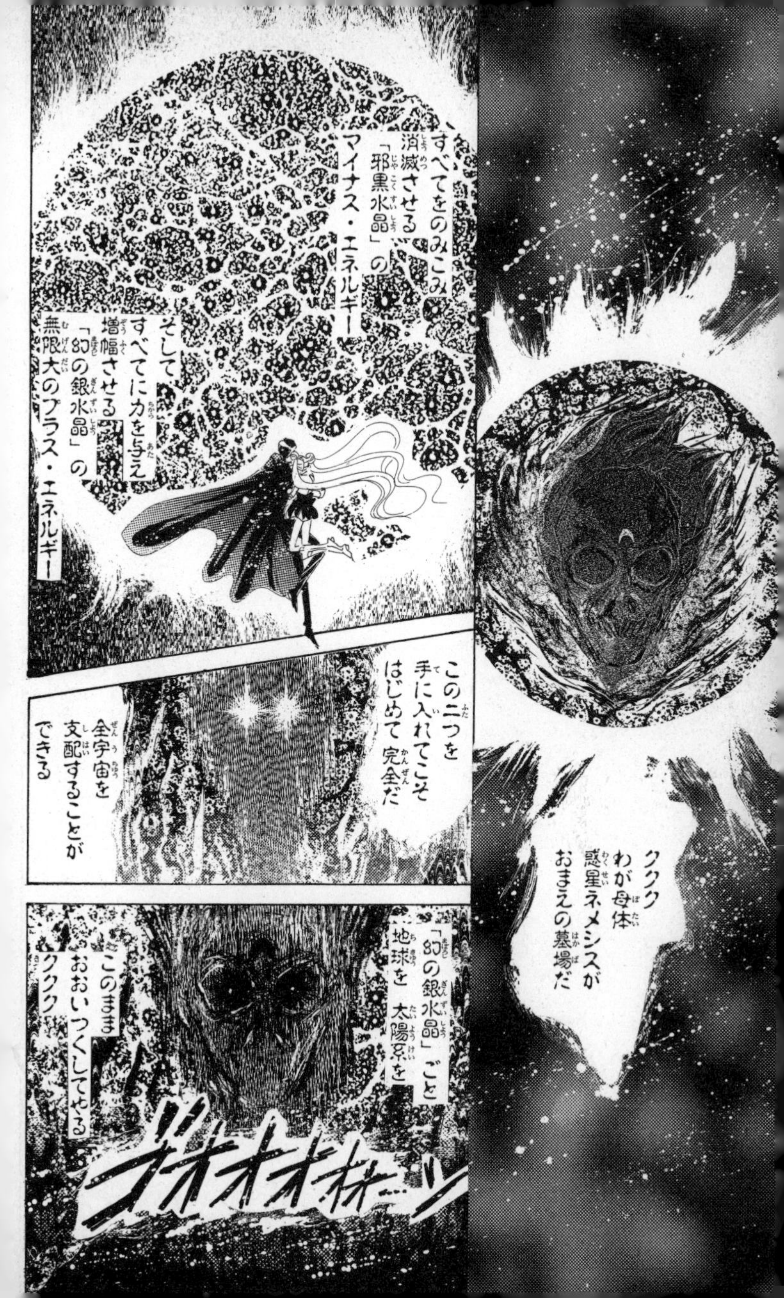
ククク
わが母体
惑星ネメシスが
おまえの墓場だ
すべてをのみこみ
消滅させる
「邪黒水晶」の
マイナス・エネルギー
そして
すべてに力を与え
増幅させる
「幻の銀水晶」の
無限大のプラス・エネルギー
この二つを
手に入れてこそ
はじめて完全だ
全宇宙を
支配することが
できる
「幻の銀水晶」ごと
地球を 太陽系を
このまま
おおいつくしてやる
ククク

だれにも
わたしは
とめられない！
あはははっ
ブワッ
……「幻の銀水晶」が
あるから
悪の心が生まれ
争いがおこるの？
「幻の銀水晶」さえ
なければ……
歴史が
狂うこともない
「幻の銀水晶」も
あたしも……
あっては
いけない
ものなの？
ドンッ
──オレは
信じてる
その力で
救われる命や
魂がたくさんある
君は
君の道を
迷わず
信じて進んで
いいんだ

迷ったり 不安になった ときは オレが 力になる
こんな 無力なオレを 君は ここまで よびよせてくれた もしも オレを 必要として くれるなら
ありったけの オレの命の力 ぜんぶ 君に あずける 君のものだ
うさこの 力になるために オレの命は あるんだ
だから 君は 迷わずに 戦え

……知ってた？
「幻の銀水晶」の力は
まもちゃんの力が
あって　はじめて
その力を
発揮できるのよ
あなたがいて　はじめて
あたしは
「あたし」となれる
力があふれてくる
ひとつになる
のぼりつめてく

こんなに
信じあえる
あなたとあたしの
この無限のパワー

腕の中に
あったかい
光を感じる
──生まれたての
光のよう──
…ポウッ
セーラームーン
タキシード仮面

ネオ・クイーン
セレニティの
かわりにきたの
ちびうさ…！
ククッ
あっはははっ
クォアアー
あたしも
いっしょに
──戦うわ！
──ちびうさ
自分の
力を信じて！

祈るの
ひきだすの
すべての力を
あの星に
ぶつけるの
「幻の銀水晶」の
すべての力を
ネメシスに！
ムーン
プリンセス
ハレーション！

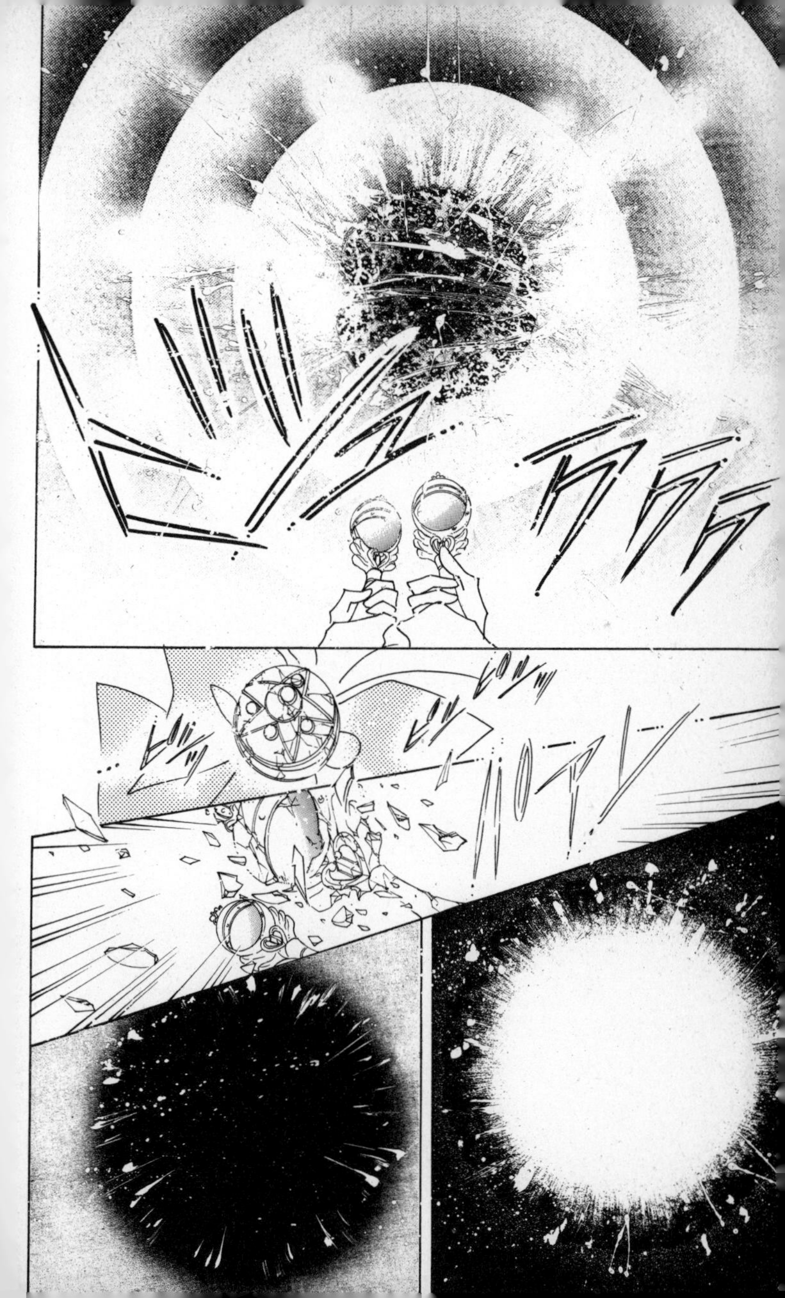

…キラッ

スッ
…ポワッ
……ん……
……うっ
……クリスタル・トーキョーが……

よみがえった……
……クイーンの奇跡だわ
——いいえ
セーラームーンがタキシード仮面とスモール・レディの力をかり
ネメシスを打ち破ったのです
…セーラームーン……！
うさぎちゃん……！

あなたがたに
新しいプラネット・パワーを授けましょう
ーセーラーマーズ
戦いの戦士
セーラーマーキュリー
知の戦士
セーラージュピター
保護の戦士
セーラーヴィーナス
愛の戦士

ーこれからも ずっとセーラームーンと ともに
戦っていけるように

——やがて正常な時間が流れはじめます
無事であればセーラームーンたちも
時空の扉のところへもどってくるでしょう
いきなさい
——ネオ・クイーンセレニティ！
セーラームーンには……
……あたしもクリスタル・パレスへ
もどらなければ
クイーン……！
……過去の自分と会うことは
歴史にはないことです
——セーラームーン
あたしはここからあなたに
新しい力を授けましょう
セーラームーン
神秘の戦士よ

あなたに
「幻の銀水晶」を守る
新しいコンパクトを
——そして
コズミック・パワーを
あなたが また
強い心で
戦って
いけるように……
セーラームーン……
——耳元で
聞きおぼえの
ある声がする…
だれ……？
セーラームーン！
……ブローチが……
新しくなってる？
——ネメシスは……
クリスタル・
トーキョーは……

ネメシスは
消滅したわ
三十世紀の
地球は
もとどおりに
なったのよ
…クイーンは……
──無事よ
みんな
パレスに
もどったわ
正常な時間が
流れはじめたの
あたしたちも もう
もどらないと
さあ
いきましょ
あたしが
過去まで
誘導するわ
プルートの
かわりに
──ああ
そうだわ
同じ時空に
同一人物が
存在することは
ありえない──
──会えないのね
クイーンには

──会いたかったけど……
……そんなこと
できるわけ
……ないよね
未来の自分と会って
話をするなんて
──歴史が 変わって
しまうもの──
──会いたい……
セーラー
ムーン？
──ほんの
すこしだけでも……
──たとえ
… ぎゅ

歴史が
はあ　はあ
変わってしまっても

……セーラームーン！

ネオ クイーン・セレニティ……！

……どうしても
お礼がいいたかったの
…ありがとう……
いいえ……
あたしのほうこそ……
──クイーン

……ありがとう
──ああ
いっぱい
はなしたいことが
あるのに……
──……クイーン！
いつか
出会う
この未来
いつか
会える
未来のあたし

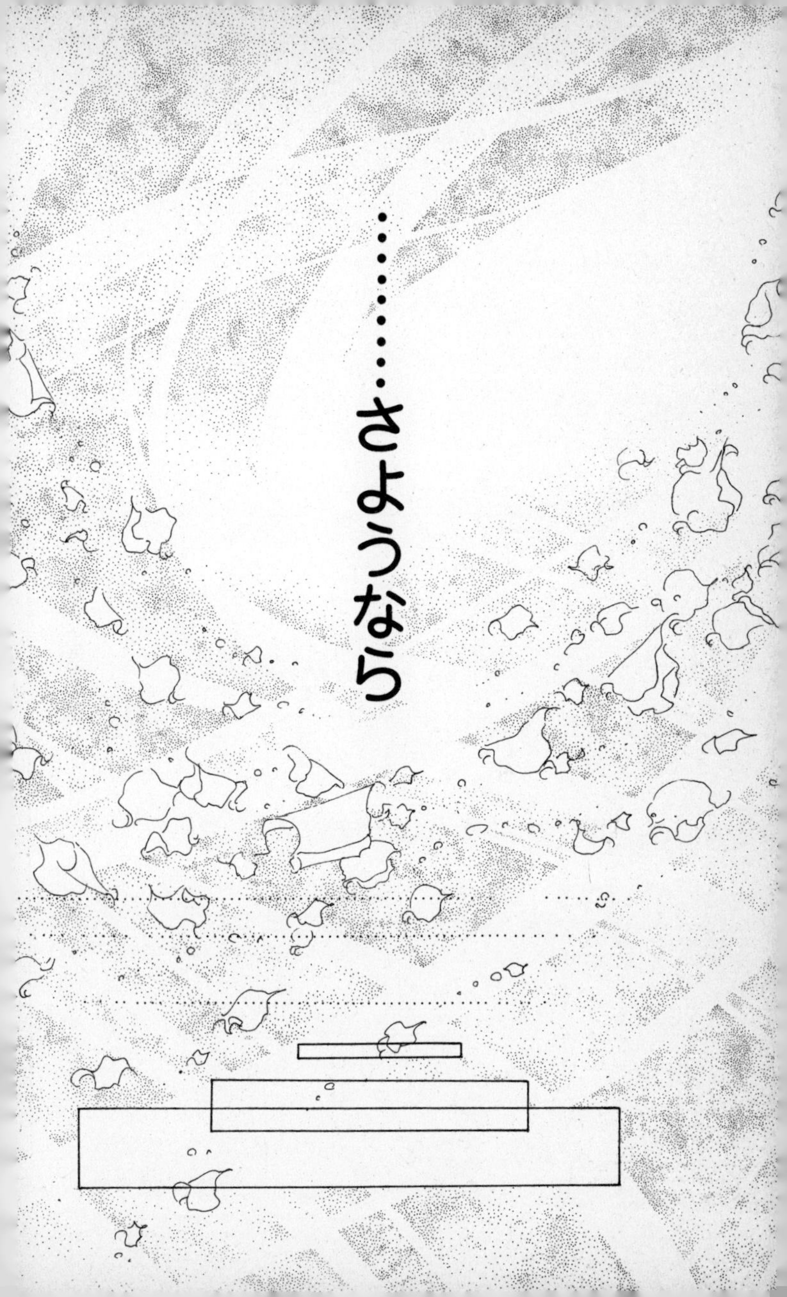
……さようなら

……さようなら……
…ぱちっ
…ピピッ
チュン チュン
……ああ
もどって
きたんだっけ
あたし
──みんな
夢…だったのかな
三十世紀も
──クイーンも
……ちびうさも…
…たたたたっ

おはよっ うさぎっ
あさだよっ♡
ひよこっ
まってよ～んっ
カチャ カチャ
ぽっこり
ちびうさ あんた なに？ そのリュックの中の大荷物は☆
学校に そんな荷物 もってっちゃ いけないでしょ？
……すてなきゃ いけないって わかってるけど
どうしても すてられない モノだけ もってきたの

あたし
もどんなくちゃ
三十世紀へ
……そっか
……そう
だよね
——あたし
家に…
忘れもの
しちゃったみたい
ごめん
ちびうさ
さきに
いきなよ
バイバイ
うさぎ!?
月野
うさぎ's Room
……うさぎ?

……かってな
ことばっかし
いって
……ごめん
うさぎ
……おこんないで
……あたし
ほんとは
ずうっと
このうちに
いたいんだ……
……でも
うさぎは
あたしが
いて……
……めいわく
だったでしょ？
——めいわくなわけ
ないじゃないの！
——そうよ あんたは
いっつも かってな
行動ばっかしとって
あたしの
気持ちなんて
ちっとも——
……泣かないでよ
うさぎ

泣いてるのは
あんたのほうじゃ
ないの
……うさぎっ…
ひっく
……ちびうさ
あんたが
いなくなっちゃったら
……さびしいよ
……いかないでよ
ちびうさ……

あたしたち
こんなに
仲(なか)よくなれたのに……
……さびしいよ
ちびうさ

……あたしが
泣いてちゃ
……ダメだよね
…ぐすっ
送ってくよ
ちびうさ
──ここで
あたしと
まもちゃんが
キスを
したとき
ちびうさが
空から
ふってきたんだっけ……
一ツ橋公園

——もどるんだろ? ちびうさ
……忘れものだよ
……泣くなよ
ぎゅ

……まもちゃんは
あたしの王子さまだったの
ピピッ
……もう いかなくちゃ
キラッ
パパとママがよんでる
ガサ
ガサ
うさぎ これ ママから あずかってたの
パラ
新しいうさぎの
ハートムーンロッドよ

ちびうさ
……あたし まもちゃんと うさぎに ちびうさって よんでもらうのが
すっごく 好きだった
月野家で くらしたこと
みんなと あそんだこと
すっごく すっごく たのしかった
ここに これて よかった
ちびうさ!
バイバイ まもちゃん! うさぎ!

あたし
うさぎのことが
いちばん
いちばん
大好(だいす)きだったよ
ちびうさっ……！
──いつも
あたしたちの
目(め)のまえから
かけだしていった
ちびうさ

……また
必ず
会えるよ
オレたちの
ムスメだもん
――いつか
きっと また
きっと すぐ
会えるよね
ちびうさ

麻布十番商店街
……なんか長い 長い……夢でも見てたみたい
ジェットコースターにのってるみたいな
夢だったよ
夢じゃないよ

あっというまにやってくる
未来の話さ

……このロッドを使うときがまた すぐくるのかな

おちこんで なんか いらんないね
――いつか やってくる
未来までに
やらなくちゃ いけないことが きっと たくさんまってる
でも いつでも きっと
この人が そばに いてくれる

キラッ
ポーーーン!!
ッ
ひゅラララララララ
ぶちゅっ♡
どでっ
むくっ

えへへーっ♡
……もどって
きちゃった
ぱくぱくぱく
コレ！
パパと
ママから
あずかってきた
手紙！
ハイ！
──前略
スモール・レディを
修行させていただける
ときき　うれしくおもいます
うちのムスメを
どうぞよろしく♡
──かしこ
from セレニティ
ぷるぷるっ
またおセワになりまあすっ♡
さすが
未来の
うさこの
かく手紙☆
ちっ
…ビリッ
ちびうさあ〜〜っっっっ
……To be continued！

本当なら第1部で
おわるはずだった
セーラームーンちゃんももう 3部.
あっというまの3年です
(でも セーラームーン役の声優の
三石ことちゃわん は
(カノ女はファクスをおくってくれるトキ
じぶんのコトを「ことちゃわん」という)
長い3年だったって ゆってたね.
'94.5月27日. セーラームーンの
アフレコは
100回をむかえました.

—⑦巻でendした
第2部は この⑦巻
の前半部分の '94
2月号部分を
かきたくて かきたくて
ただ ひたすら それにむかって
かいていたのです. と筆をかいているのが
もどかしくって. たしかに 2月号にたどりつくまで
とっても長かったような気がするなあ. でも こうして かけて. それを
あなたに こうして よんでもらえて ナオコはとってもしあわせです♡
カンソーきかせてね♡ (プルートファンからは "なんで死んじゃったの〜" とゆー
コーギの おてがみ いっぱい いただいちゃいました☆)

'93. 12月24日. ウチで. たけうちせんせい'S スタッフと
セーラームーンの声優さんたちとね. クリスマス・パーティーをしたとき
ジュピター役の しのはらえみ嬢が. この2月号部分を
よんで. ぽろぽろ なきだしてしまったの.
"カンドーしちゃって
—セーラームーンを かいてきて ほんとうに よかった.
そのトキ とても そう思ったの. えみさん ありがとね♡"
ちなみにっ! クリスマス・パーティは その後
セーラームーンパジャマ・パーティーとなったのだがっっ!!
声優のミナサマッ!! あのトキ ナオコだけが
パジャマを きなかったのはね. はずかしかったからではなく!
みんなに あげてしまって
あたしの分のパジャマがなくなってしまったからなのよおお

くしーく! おさBUちゃん♡
また まんが版セーラームーン パジャマ
つくってね♡
(ついでに ナオコ セーラームーン バスローブが
ほしいなあ ♡ うふふ♡)

Act 24 無限1——予感

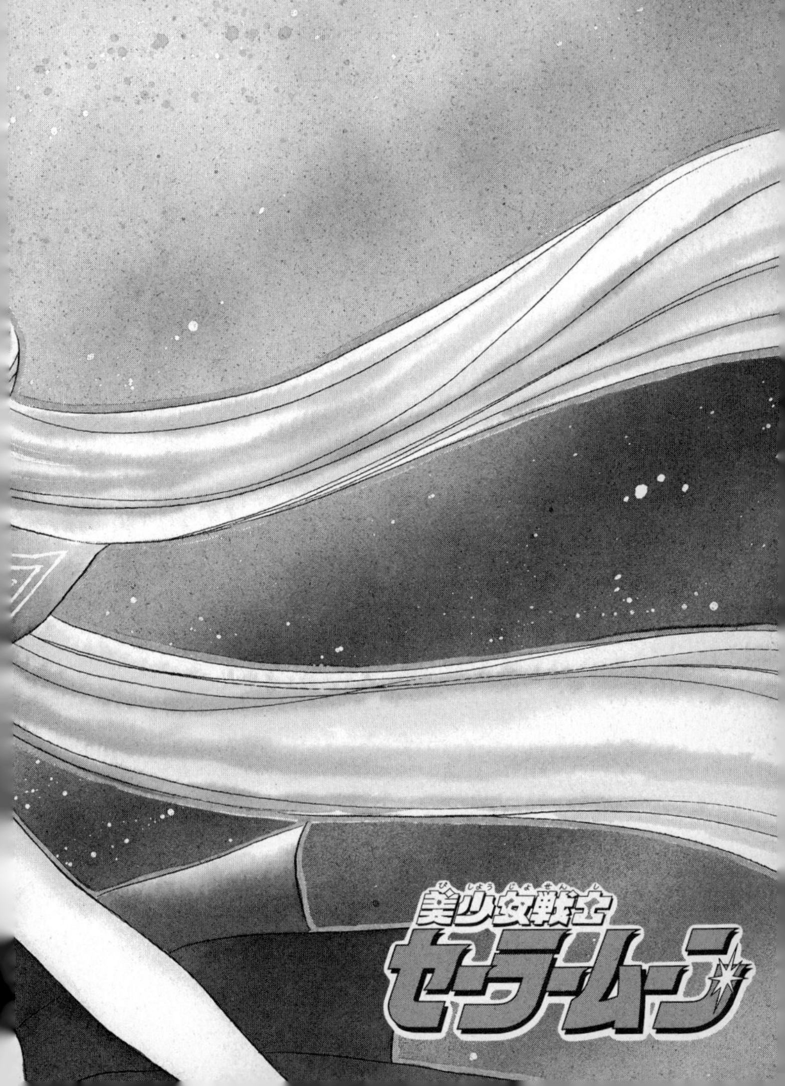

このオメガ・エリア
われらが新しき聖地を

破滅に導く光……

別の光が
見える

——星の光……
「星の守護」の輝きだ

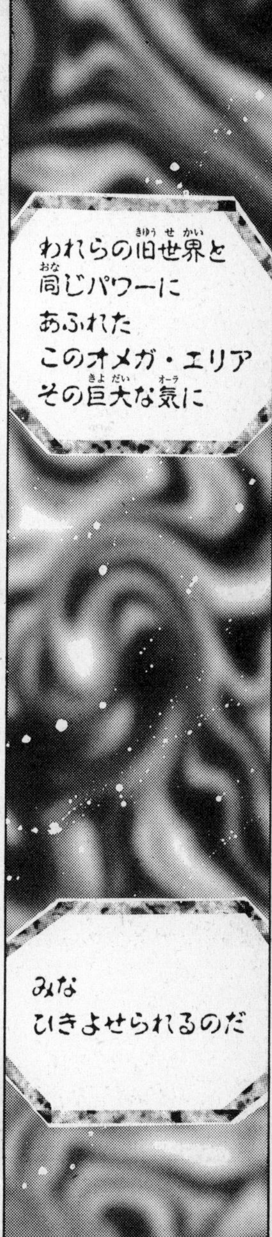
われらの旧世界と
同じパワーに
あふれた
このオメガ・エリア
その巨大な気に
みな
ひきよせられるのだ

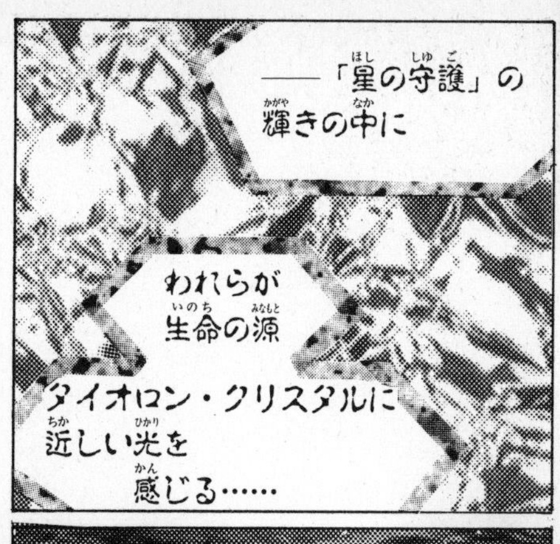
──「星の守護」の
輝きの中に
われらが
生命の源
タイオロン・クリスタルに
近しい光を
感じる……

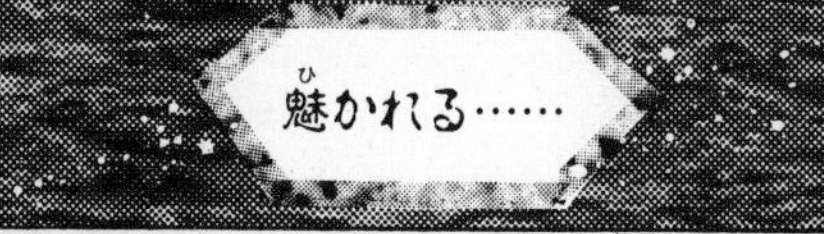
魅かれる……

だが この聖地は
われらのもの
われらがここに
新世界を
築くのだ
だれにも
じゃまはさせぬ

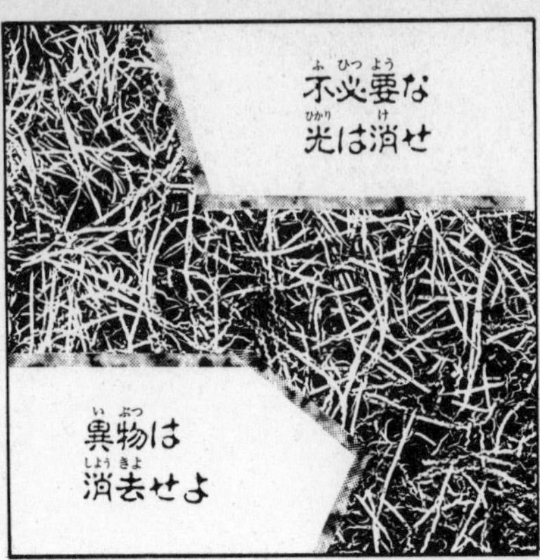
不必要な
光は消せ
異物は
消去せよ

わかっておりますわ
師ファラオ90

破滅に
導く光を
目覚めさせるな!

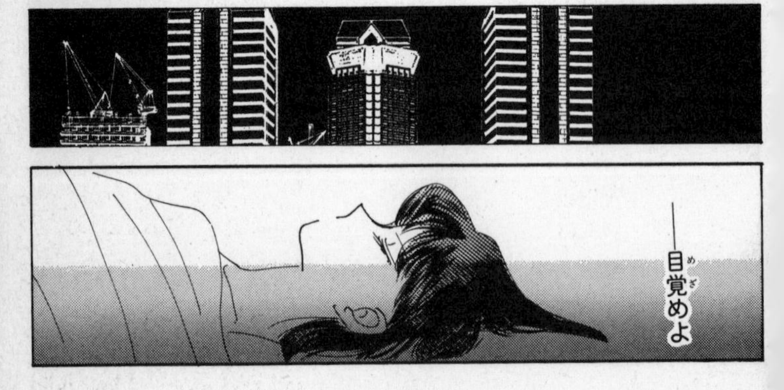
──目覚めよ

目覚めよ
わたしの中の
わたし

時は
きたれり

——3つの魔具の 導く光——

はっ
なんだ?
いまの夢は――!?
はっ
ギギ
なに?
いまの火のお告げはいったい……!?
――なんだかまぶしいわ
なんの光?
……リ…ン
ゴ…ン
――ベルの音?

——ああ
もしかして
これは

あたしとまもちゃんの結婚式の鐘の音!?
ー リ
ジリリリリ

ジリリリリリリリ
がばっ
うさぎー 八時すぎてるわよ
ひええええええっ☆
どおして おこして くんないの よおおおおっっ
バタバタ
バタバタバタ
ったく 毎朝毎朝 どうして こうなの かしらね あのコは
はあっ
ほーんとよね 育子ママ いつまでたっても コドモなんだから うさぎは
もぐ
もぐもぐ
──さて つぎの ニュースです

ページを開くたびに、
あふれる夢気分!!
とっておきの
原画ばかりを
厳選しました。
下の
申込書に必要
事項を記入して、
すぐに本屋
さんへ!!
美少女戦士
セーラームーン
原画集1・2
8月9日発売!!
（予定）

---キリトリ線---

予約申込書	武内直子「美少女戦士 セーラームーン」原画集12 □1巻・□2巻・□12巻両方 を予約します。 ご希望の□にレ印をつけて下さい。 ●各巻予価1,900円（税込）	
	お名前	書店名（帖合印）
	ご住所	
	電話番号	

［書店様へ］書籍扱いとなります。'94年7月25日販売会社到着分までは、初回配本にて送品できます。
以降は追加送品となります。

（講談社 雑誌第二販売部）

うれしいうれしい
緊急ニュースですっ!!
ウラ面に予約申し込み書がついてます。すぐに本屋さんで予約してネ♥
武内直子
美少女戦士セーラームーン
原画集 1・2
1 クリスタルファンタジー(水晶幻想) 2 セレニティー(清澄)〈仮タイトル〉
●A4判・64ページ・各巻予価1,900円(税込)
1・2巻とも8月9日発売(予定)!!
CD-ROM版『美少女戦士セーラームーン』原画集も同時発売予定。
くわしくは、「なかよし」9月特大号を見てネ。
講談社

昨日港区のS公園で正体不明の怪物が出現
公園にいた私立無限学園の学生たちを襲うという奇怪な事件が発生……
目撃者は公園にいた同じく無限学園の女子学生が突然怪物に変身したといい
関係者はこれは「先祖返り」の一種ではないかと述べて……
「先祖返り」ってなに？けんじパパ
人類の祖先はねゴリラみたいな姿だったんだよ
その姿にもどることだね
怪物なんてホントかなあコワイなあ
―「先祖返り」人間が怪物に……
けんじパパいってきまーす♡
気ィつけていっといで♡

ごめ〜〜ん
まもちゃ〜〜ん
おそい！ うさ！
先にいこうと思ってたところだ！
……まもちゃん その「うさ」っていーかた
……なんか いいっぱなしで
……ヤダなぁ
…うさこのほーが いーのにっ
ま・も・ちゃあんっ♡
おくれて ごめんね♡
おこんないでっ♡
ちゃんと あしたから おくれないよーに するから♡
だから ね？
ウソばっかし

おはようのキス……
んーっ
ばっ
ぴょんっ
おはよっ♡まもちゃん♡
わーい
ゴンッ
～～～～～ッ☆
おはようございます！まもるさま♡
やあダイアナ
ちょこんっ

まもちゃんで
いいよ
おはよ♡
じゃあ
じゃあ♡
まっ
まもちゃんっ
ポッ
あははっ
も〜〜 朝の
貴重な
ランデブーの
じかんを〜〜っ☆
あ——っ
ダイアナ
ばっかし
だっこして
ずる——いっ
ネコになったら
だっこして
やるよ
え〜〜〜っっ☆
あ！
そーだ
うさぎ！
おべんとの
忘れ物よ
いいかげん
ちゃんとおきて
朝食も
たべたほうが
いーわよっ
一日の活力の
モトは朝食
なんだからっ
ちびうさ
スゴイこと
知ってんじゃん
えへへー♡
ぴきっ
——この
ちょーしいい
こなまいきな
ガキ☆
クソ
ぷるぷる

じつは このコ
未来からきた
あたしと
まもちゃんの
コドモです☆
三十世紀の未来から
セーラー戦士の
修行をしに(?)
過去へやってきて
あたしの
家へ
イソーロー
してるの
未来のまもちゃん
未来のアタシ
ムスメを
ヨロシク♡
ちびうさ
ちゃ~~ん
ももちゃん
たちだ!

いってきまーす♡
——ブラック・ムーンとの地球の未来をかけた
あの激しい戦いも夢のかなた
——あたし月野うさぎのまわりは
平和な日々がつづいてます——
…ぴと…っ
——目ざめよ

──破滅のはじまりなり
──まもちゃん？
──いや
──なんでも ないよ
──いつも
幸せだなって 思った つぎのしゅんかんに
ふっと 不安が よぎるの

──この幸せは
長つづきしない
そんな気がする
──しかたないっか
だって
宿命だもん
なにが あったって
のりこえられるわ
それが
使命を背負った
あたしの
試練なら

パシャッ
…ピピピピピッ
ザバッ!
——海王丸?
おはよう

そろそろ
彼を
迎えにいかなくちゃ
遅刻するわ
…ザ…ン
きょうは海が
あれてるわね

ブロロオオオオオッ
910 NINE TEN
はるか！
おまえ 直線のとこ
全開で
すっとばしただろ！
サイッコーだよ
このマシン！
もっと
とばしたかった！
はぁ
ダメだよっ
ならしなんだから！
五千回転キープって
ゆったじゃないかっ！
こわれちまうよ〜〜〜
キャあぁー
はるかくーんっ
キャー
てんおーっ
てんおーっ
はるかー
スゴイ人気
なんですね
彼☆
知らないのか？
おまえ！
天王はるか
ひさびさに
日本が誇る
若き天才
レーサーだよ
ザザザ
ザザザ

そして　あれが
はるかの愛機
「天王丸」と
はるかの
彼女の愛機
「海王丸」
これから
ヘリで
登校かぁ♬
スゲーなぁ
バババババ
ピッ
もしもし？
みちる？
おそかったじゃん
バババババ
きょうは
風が
あれてるな
やあーん
はるかー
キャー
キャー
ねね！　あれ
海王みちる!?
バイオリニストの！
はるかと
つきあってるって
ホントだったのー!?
ショック☆
くやしいけど
おにあいの
カップルよね

二人とも同じ学校だもん ほら いま話題の
ああ あの無限学園ね
ウィーン
こんにちは——♡
ゲームセンター
いらっしゃい!
うさぎちゃん なるちゃん♡
おそ——い
うさぎちゃん まってて 本一冊 よみおわっちゃったわよ
ま うさぎが ドンジリだと 思ってたけど
ひど~~いっっ レイちゃん~~☆

あーーっ まってたのよー うさぎー♡
はやく はやく♡ このゲーム オモシロイよ〜〜〜
へーー 「バトルラップ」 みんなでレース やるやつ？
Battle
ホンモノの レースが 体感できるよ
ずぼ！
ホラ ヘルメット
クラッチ ふんで エンジンかけて
スゴイ エンジン音☆ 本格的〜〜〜
ブオンオンオン
どんどん ギア・チェンジ してって ごらん 五速まで 一気に
ひえ〜〜〜 ホントの車 運転してる みたいでコワイ〜〜〜 フラフラする〜〜〜
オオオーン

ブオンオン
もっとアクセル
ふみこんで
回転数
上げるんだよ
—だれ？
え!?
—スゴイ！
あっというまに
周回遅れ
挽回した！
TIME 41
SPEED
273 km/h
いま
何キロ!?
SPEED
300 Km/h
300
km!?
わ〜〜
うさぎ〜〜
あぶな〜〜いっ
え!?

グワワ～ン
わ～～ん うさぎ～～ しっかりしてっっ
クラッシュの ショックも 本格的なのね
へろへろ～～～ん
スゲーよ あいつの タイム！
あの走り ホンモノの レーサー 並みだぜ
いま何キロ だしてんの？ あいつのマシン
Battle Lapp
400 km!?
SPEED 400 Km/h
ぎもぢ わる～～い ヘルメットって 重いよ～～
かぽっ
はあっ
うさぎ スゴイ スピード だしてたよ
ヘルメット かぶってるとね なんか スピード感て ぜんぜん ないよ

へえ
そんなこと思うなんて
レーサーとしての素質あるよ
う・うそっ
カッコイイッ
ドキーン

スイッ
カシャン
――あ
すいません…
!
ぱっ
――あなた
とても気高い目の色をしてる

前世は王子様かしら
——どうして そんなことが わかるワケ？
コレは
前世を うつす 鏡なのよ
ぐいっ

ウィーン…
またレースしよーぜおだんごアタマ
クラウンゲームセンター
ごめんなさいヘンなコトいって
気を悪くしないで
さよなら
この辺で見ない制服
美人だったケド
――読めないカオをしてた

ずいぶん仲よくなったのね
やいてんの？
あのおだんご
まだまだコドモってカンジでかわいかったよ
ねねうさぎ！あのカッコイイヒトゼッタイ！有名人よ！どこかで見たコトあるもんっ♡
無限学園のセーフクきてたし！
ウィーン
ムゲン学園？
やだっ知らないの？
東京湾の埋め立て事業でいま最大の商業地区「三角洲」
その中の「無限地区」にある私立の新設校ですよよ！
ニョロ
うみのぐりおでーおっ♡

無限学園て
タレントや
オリンピック
選手とか
音楽家とか
スゴイ人たちが
集まってて
天才学園て
よばれて
いま有名なのよ

本

ホラ見て!
やっぱり
どこかで
見たコト
あると
思ったら
さっきのヒト
レーサーだって!
「天王はるか」!
天才レーサー!
CLOSE UP
天王はるか
Timothy Collings
may as avout for men
big egg in tokyo Fithers
ヘーホンモノの
レーサー
だったんだ――
うまいワケよねーっ
都立
十番高校から
無限学園へ
転校した
ばっかだって!
十番商店街
よく くる
のかな♡
またあえるかもっっ!!♡
天王はるか

あ
ホラ
無限学園のコたち
女のコのセーフクカワイイよね
!?
ブローチが!?
ポウッ
ポウッ
うさぎ?
……!
どこでお茶する一?
ビリッ
…ボコッ
…グ…ゥ

キャあああっ

――敵!?
なるちゃんと海野はオレが!!
――だれかっ……!!
たすけてっ・・
きゃあああ
みんな!変身よ!

ムーン・コズミックパワー——
ヴィーナス・プラネットパワー——
マーズプラネットパワー——
ジュピタープラネットパワー——
マーキュリープラネットパワー——
メイクアップ

愛と正義のあたしたち
セーラー戦士が
お相手するわ！
ヴァアアアア！
きゃああっ
見境いをなくしてる
まるで苦しんでるみたいに見えるわ

ヴィーナス・ウインク・チェーン ソード
ジュピター・ココナッツ サイクロン!!

ズバッ
──人間から分離した!?
ガラッ
バララ
ドサ
急いで救急車をよぶんだ
ハハイッ
ザワ　ザワ
はっ
ぱっ
ササッ
──視線!?
まだ怪物が!?

——だれも
いない!?
美奈?
——あの女のコが
怪物に
変身するシュンカン
ブローチが……
——「幻の銀水晶」が
反応した——?
ざわ ざわ
クラウン ゲームセンター
この異生物が
このコに
とりついてた
ワケね
カチャ カチャ
ピッ
——先祖返り——
ルナ?

今朝のニュース見たでしょ？
怪物に変身し人を襲った「先祖返り」のニュース
たしかそれも無限学園の生徒だったわ
──敵!?
あやしいニオイはするわね
無限学園と先祖返りか
コレは無限学園をしらべにいくっきゃないわね

ただーーいまっ♡
おそかったわね
うさぎ
まこちゃんちで
みんなでごはん
たべてきちゃった
おいしかったあ♡
ローストビーフのサンドイッチ
サーモンのマリネ
カボチャのポタージュ
ニーズ風サラダ
デザートは
ミルフィーユよっ♡
まもちゃん
じゃあじゃあ
あした
ゼッタイ
ねっ♡
コラッ
ちびうさ
まさか
まもちゃんち
でんわしたの？
なあんの
用よっ
ひょいっ
ナイショだよ〜んっ
むに〜〜っ

あんた！ねぇ〜〜っっ！
Pi
Pi
やめなっ さ〜〜いっっ あんたたちは も〜〜っ
ドタバタ
イターイッ うさぎの ばかーっっ
ばっ
ちびうさちゃん あした放課後 おともだちと ゆーえんち いくんですって
ママ婦人会で いけないし
子どもだけじゃ あぶないでしょ!? ヘンな事件も多いし
まもちゃんとーっ
ムゲン・C・パークの 海の上の ジェットコースター のるんだ もおんっ♡
うっき♡ うっき♡
え〜〜っ もしかして 新しい遊園地!?
ずるうう〜いっっ
育子ママ 押しが強くて 断れ なかったんだよ
じゃ あたしもいくっっ
たしか あした 無限学園へ 偵察に いくっつって なかった？
があーん
あ
そーだった！

びーっ
びーっ
うさ
話題の新しい遊園地「ムゲン・C・パーク」って例の三角洲にあるんだ
東京都地図
ぴたっ
?!
そう無限学園のある
「無限洲」に
遊園地は学園のすぐとなりだ
通信機で連絡とれるようにしとく何かあったらすぐいくから
カチャ
カチャ
ピッ
「三角洲」
東京湾埋め立てプロジェクトの中心地
天王洲 海王洲 冥王洲とよばれる三つの埋め立て地が三角形に並ぶためそうよばれる
オフィスビル・住宅がたちならぶ完成された都市である

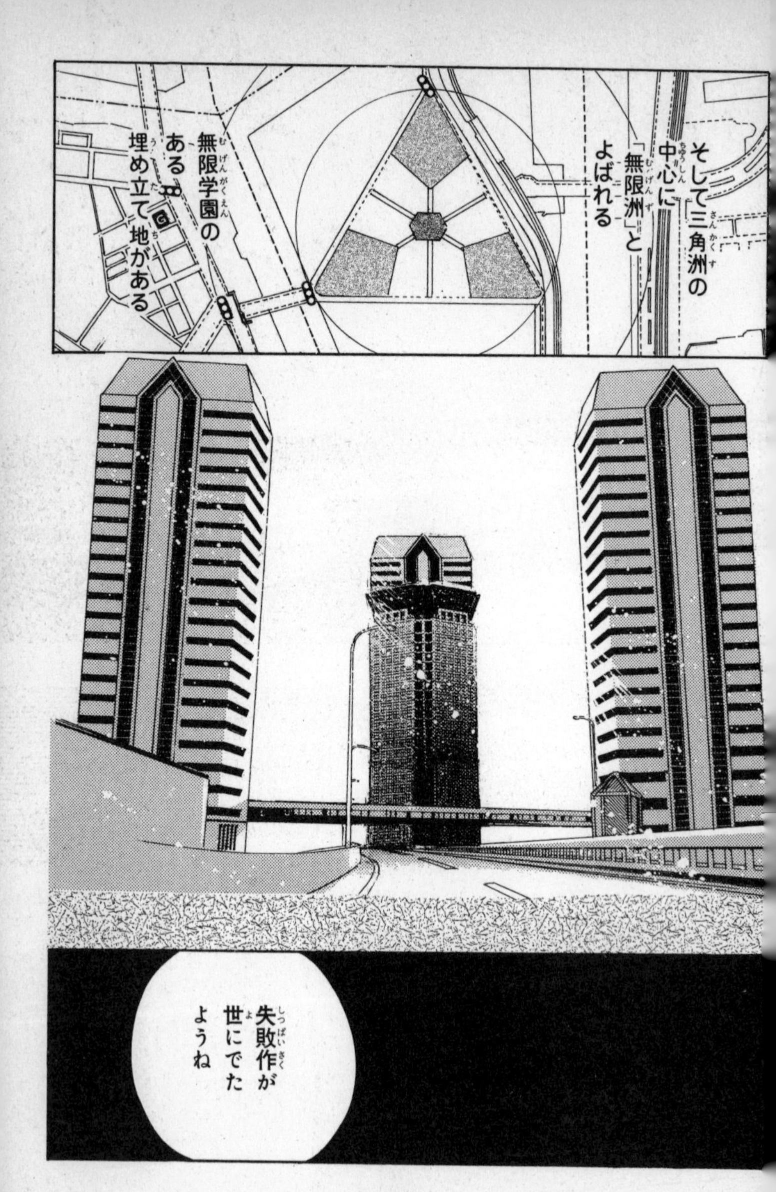
そして三角洲の
中心に
「無限洲」と
よばれる
無限学園の
ある
埋め立て地がある
失敗作が
世にでた
ようね

ダイモーンを解放するとは……
もうしわけございません
──「器化」……
失敗作のダイモーンばかりふえてなかなかうまくゆかぬ
だがそのおかげで師のおっしゃった異物の正体がつかめた
──セーラー戦士
星の守護をもつもの……
──この星を守る者──
おまえたちに
新しい使命をあたえよう
目障りな異物は消去せよダイモーンを使ってもかまわぬ
みごと消去できた者のレベルを上げてもよい

レベルを上げ
勝ちのこった者
わが師「ファラオ90」と
じかにコンタクトし
タイオロン・クリスタルの
恩恵をうけることのできる
私とおなじ〝秘術師〟の
地位を与えよう
──「秘術師」！
師とコンタクトし いのちの源
タイオロン・クリスタルの恩恵をうけられる地位──！
そして「器」を
「聖体」を
われらの存続のために集めよ！

——秘術師カオリナイト
このウィッチーズ5にどうぞおまかせを！
このビルが「無限学園」——か

——気をかんじる
強い気の力がみなぎってる
——この一帯正しい空間の密度じゃない
歪みがあるわ

ヒョウ
―ただの ビル風じゃ ないな
風が 乱れてる
―嵐の 予感だ
はっ
美奈!?
―また だれかの 視線―!?

ガガガガガ
わああ〜いっ♡
まもるセンパイものってくればいーじゃないスか
きゃーっ♡
ずず──
…いやオレは基本的にあーゆーのはちょっと……
ははっ
すまんな浅沼キチョーな放課後を
いいえ
二度もジェットコースターのるなんてちびうさたちもものズキだよなー
みんなちびうさと同じクラスなのか？
はいっ♡
ジュースもっとかってきてやるよまってな

ふわっ
あ!
ガンッ
ももちゃん あたし ぼうし とってくるね
えーーっ じゃあたしも いく!
おちた場所 見えたし へーキ!
みんなと あそんでて すぐもどる!
あれっ!? ももちゃん? ちびうさは?
まもちゃんっ

ぼうし
とりに
遊園地の
外へ
でたっ!?
つたく
あいつは〜〜
わらっ
あさぬま
あとは
まかしたっ
まもる
センパ〜イッ
そんな〜〜っ
わらっ
この辺だと
思ったん
だけどなあ
あ
このビルの
裏だわ!!

──無限学園
幼等部　初等部
中等部　高等部
大学　大学院
一貫教育の新設校
学園のたつ
「無限洲」の所有者が
学園の経営者
ほかのいろいろな施設も
経営しているみたい
入り口には
警備員か
最新の
防犯システム
だろーな
どうする？
ぴ・かっ
あたしが中へ
入りこむわ！
まかして！
うさぎ？
ムーン
パワー
ぱっ

無限学園の生徒にへんし〜〜〜んっ
うさぎ!?
そこでまってて ちょっとなか 見てくる!
ちょっと うさぎ〜〜〜っっ
だいじょーぶ かなあ☆
知らない わよ〜〜
うさぎは〜〜も〜〜

無限学園
財団法人無限学園
INFORMATION
26-30F 教授室
22-25F 大学院
18-21F 大学
14-17F 高等部
10-13F 中等部
6-9F 初等部
3-5F 幼等部
1-2F 研究棟
56F
ざわ
ざわ
わ〜〜スゴイッ☆
さっすが私立☆
六十階だてのビルが学校なんて信じらんないわっ☆ゴーカッ☆

でも　とくに
かわった
ところは……
――なんて
キレイな
音色
――バイオリン？

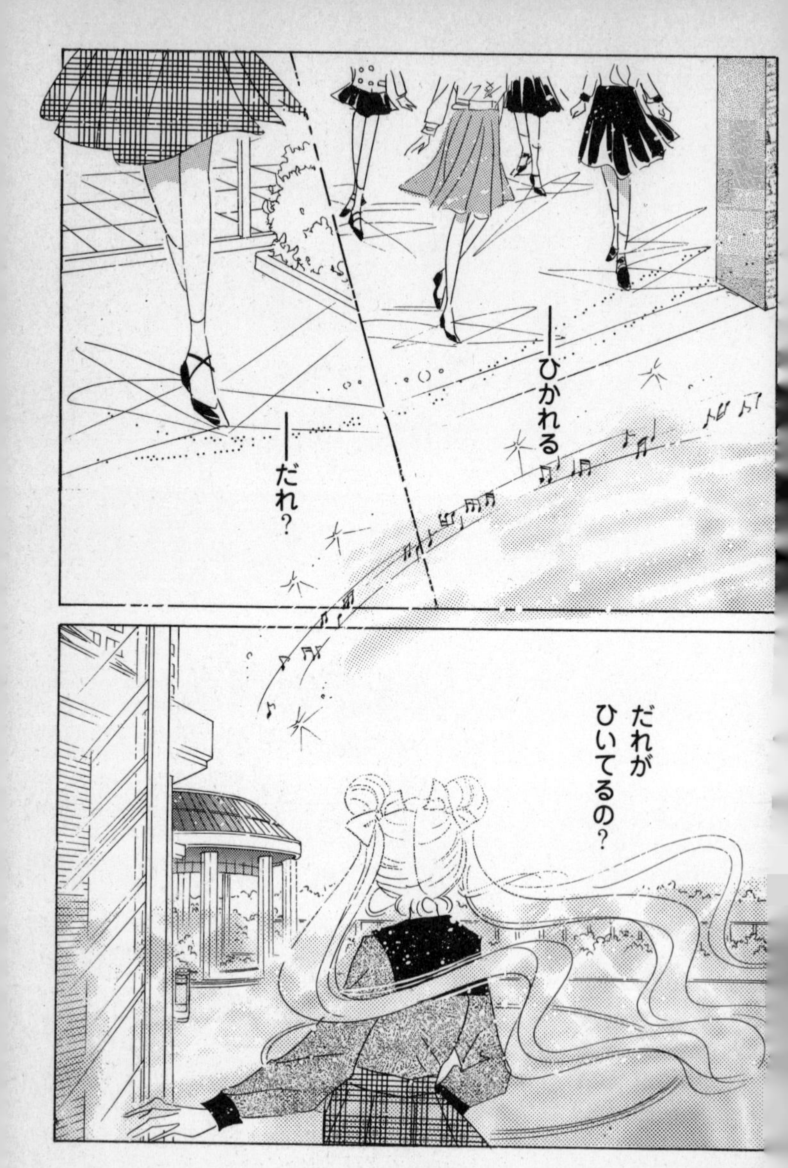
ひかれる
だれ？
だれが
ひいてるの？

ザザッ
――あまい
波のような
調べ

はっ
—やんだ?
—視線!?

しまった！
ザッ
!?
こわいもの知らずなのね
こんな所へくるなんて
キケンだわ
いつか身を滅ぼすわよ

——あまり首をつっこまない方がいい
きょうのところは無事に帰してやるけど
ジャマをするならオレは容赦しない
そこで何をしてるの!? 学年クラス氏名をいいなさい!

あの人の目が
つきさすような
暗くつめたい　瞳になった

——体じゅうが ビリッときた

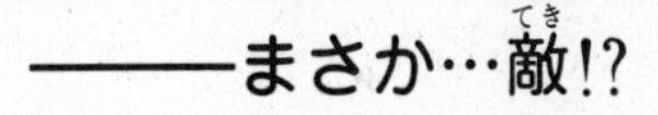

あ！
よかったあ♡
いくこママに
かってもらった
ぼうし♡
あったあ♡
ホッ
土萠研究所
土萠研究所
──なんて
よむんだろ
……けんきゅーじょ？
ちびうさ──っ!?
どこに
いったんだ
はやく
見つけないと……

——ねえ？
だいじょうぶ？
しっかりして
はあ
はあ
……いつもの
発作だから……
すぐ
おさまる……
ほっておいて
——ここは
立ち入り禁止
区域よ
はあっ

!!
バッ
ちびうさ!?
うさぎ!?
ナニやってんの!?
こんなところで
ひとりで!!
あぶないじゃ
ないの!
いくこママに
かってもらった
ぼうしを
おとして……
そしたら
この人が……
苦しそうなの
ねえだいじょうぶかな
……
無限学園の
制服……
はあ、
グルルル

(掲載=「なかよし」1994年2月号・3月号・3月号別冊ふろく)

はっ
!?
ブローチが――
…ポワッ
「幻の銀水晶」が反応してる!?
…ボゴッ

ボゴボゴッ
…グラッ

ゲアアッ
「先祖返り」!?
ちびうさ!!

ちびうさ!!
あぶない!!
第8巻につづく

ナオコのまわりでナゼか人気No.1！
話題の(?!)ナゾのキャラ(⑦巻では!)
天王はるか ―― が
ナゼ、レーサーになったか。
それは ちょうど 第3部を考えていた
'93 秋、の さむい日。
「サーキットの狼」(みんなしってる?)ダンディー
いけざわ さとーしせんせいに サーキットへ
つれてってもらったの♡
せんせいの運転する軽やかなまっしろい
RUF(コレがまた通好みのくるまなんだ。フッ。)
にのって、ついたのは 富士スピードウェイ。
いけざわ さとーし先生は ポルシェのRSRという
まるで戦闘機のような！くるまで
サーキットを びゅんびゅん 走り(取材だったのです)
ナオコはとってもとってもドキドキしてうらやましかった！
じつは その日は 雨。
路面がぬれてあぶないので ナオコは
運転できなかったの。しくしーく。
サーキットを走りたいぞっっっ!!
―と、ゆーワケで はるかは レーサーに
なったのでした。(なんて安易な!)
いまの おしごと おわったら… ふふ
いけざわ さとーしせんせいの いまの最愛の
カノ女、フェラーリのF40とゆーくるまに
のせてもらうのさっ、ね うふふっ♡
ナオコも あたらしい カレシ(もちろんくるま)が
ほしいぞっ!!
(さいきんいつでも くるまの野望にもえ そして
自爆しているナオコ!) そして こんどこそ!
サーキットを走るぞっ！
めざせ！
サーキットのうさぎちゃんっ！
Sailor team!
910 NINE TEN
サーキットのうさぎちゃん♡
ちょっとちがう!

美少女戦士セーラームーン［第2回］人気投票 結果発表!!

☆1994年2月号で募集した第2回キャラクター人気投票の結果を発表します。前回の投票数からさらにふえて217.052通のハガキがあつまりました。みなさん，どうもありがとう。さて，今回はどうなっているかな？

第1位
ちびうさ
76,214票
なんと，セーラームーンをぬいて第1位！ やったね!!
第2位
セーラームーン
70.965票
前回第一位のムーンは，おしくも第二位に。
第3位
ネオ・クイーン・セレニティ
48,743票
うさぎちゃんのお姫さますがたは根強い人気!!
第4位
セーラープルート
45,150票
その感動的な戦いに，みんなの票があつまったのね。
第5位
愛野美奈子
39,923票
美奈子ちゃんの人気は，ますますアップ!!
第6位
月野うさぎ
38,265票
さすが主人公。変身まえの姿も上位にきたよ。
第7位
セーラーヴィーナス
37,407票
美奈子ちゃんの票がのびたぶん，ちょっと苦戦？
第8位
水野亜美
29,823票
みんなのブレーン亜美ちゃんが，この位置に。
第9位
セーラーマーキュリー
27,502票
セーラー戦士では，マーキュリーも人気ね。
第10位
セーラーV
25,908票
美奈子，ヴィーナスにつづいてベスト10入り！

順位	名前	票数
21位	地場　衛	7,053票
22位	ルナ	6,405票
23位	大阪なる	6,110票
24位	エスメロード	5,290票
25位	桃ちゃん	5,114票
26位	アルテミス	4,905票
27位	更科ことの	4,612票
28位	プリンス・デマンド	4,307票
29位	宇奈月	4,151票
30位	コーアン	4,012票
31位	サフィール	3,054票
32位	浅沼一等	2,597票
33位	カラベラス	2,414票
34位	ペッツ	2,250票
35位	ワイズマン	1,931票
36位	海野ぐりお	1,248票
37位	進悟	1,013票
38位	古幡元基	871票
39位	ママ	794票
40位	ルベウス	721票
41位	空野	619票
42位	九助	571票
43位	パパ	425票
44位	アクアティキ	319票
45位	ヴェネティ	261票
46位	キラル	218票
47位	アキラル	195票

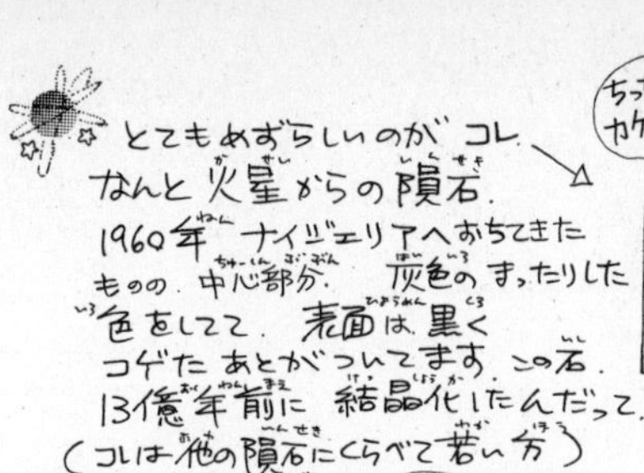

とてもめずらしいのがコレ。
なんと火星からの隕石。
1960年 ナイジェリアへおちてきたものの。中心部分。灰色のすっかりした色をしてて。表面は黒くコゲたあとがついてます。この石。13億年前に結晶化したんだって。
（コレは他の隕石にくらべて若い方）
火星で火山爆発がおこったトキ飛来したらしい。

でかいのは高くてかえなかったんだよっ!
ちっちゃいカケラねえ
レイちゃんの星 火星の大気と同じ成分をふくむんだって

＊＊＊＊＊＊＊＊＊＊＊＊＊＊＊＊＊＊＊＊＊＊＊

隕石のコトを Meteorite（メテオライト）っていうのよ。多くは、火星と木星の間にある小惑星帯からとんでくるんですって。

さて。
'94. 7月17日あたりに。
（おおっと コレは進悟のたん生日だ!
ウチの進悟（弟）はいま カナダへ留学中。カナダは星がキレイかしら。）
シューメーカー・レビー第9すい星が木星へ大ショートツするらしい。
（コレをかいているのは'94. 6月よ）
ざんねんなコトに ショートツは木星のウラ側でおこり。地球からは見えないんだって。
早く どこかで その報告を ききたいなー。楽しみ♡

さやえんどうみたいなすい星。

＊＊＊＊＊＊＊＊＊＊＊＊＊＊＊＊＊＊＊＊＊＊＊

ーカンケーないケド。ウチの育子ママは（自分の誕生石の）でっかいトルコ石を庭にころがしている。

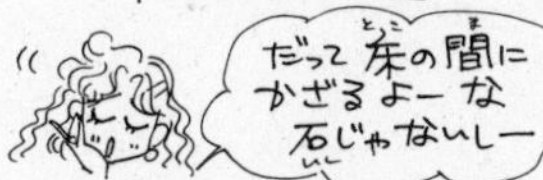

だって床の間にかざるよーな石じゃないしー
…だからってママ…。

そんな育子ママを見てそだったナオコのゆめは、でっかい隕石をいつか手に入れて庭にゴロゴロころがしとくコトよっ♡

このVちゃんがとっても気にいってしまった♡
ヨコハマの秀クンありがと♡

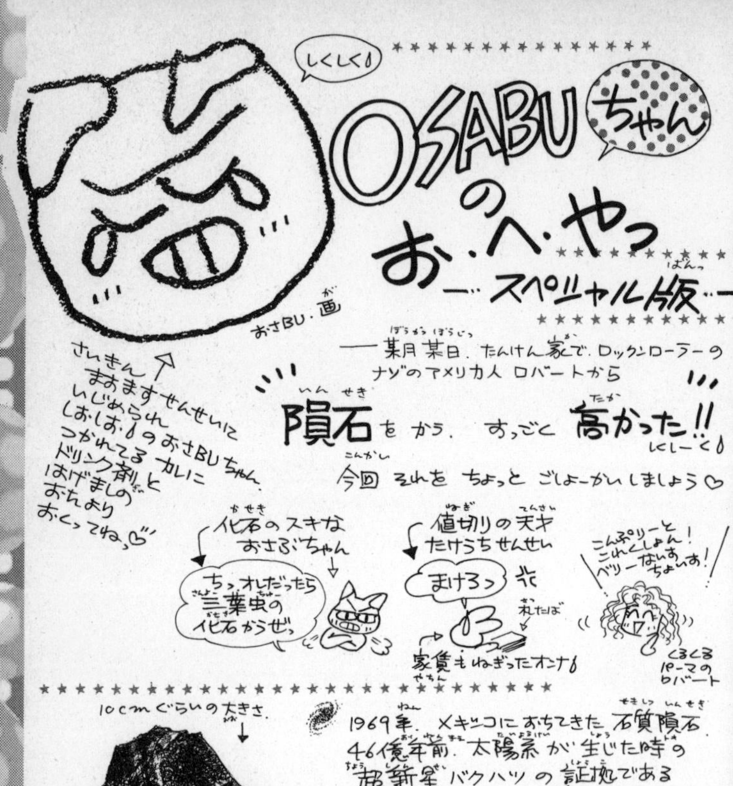

しくしく♪
OSABUちゃんのお・へ・やっ
—…スペシャル版…—
おさBU・画
さいきん
まおますせんせいに
いじめられ
しおしお♪のおさBUちゃん
つかれてる カレに
ドリンク剤と
はげましの
おたより
おくってねっ♡
——某月某日、たんけん家で、ロックンローラーの
ナゾのアメリカ人ロバートから
隕石をかう。すっごく高かった!!
しくしーく♪
今回それをちょっとごしょーかいしましょう♡
化石のスキな
おさぶちゃん
ちっ オレだったら
三葉虫の
化石かうぜっ
値切りの天才
たけうちせんせい
まけろっ
お札たば
家賃もねぎったオンナ♪
こんぷりーと
これくしょん!
ベリーないす
ちょいす!
くるくる
パーマの
ロバート

10cmぐらいの大きさ

1969年、メキシコにおちてきた石質隕石。
46億年前、太陽系が生じた時の
超新星バクハツの証拠である
「マグネシウム26」を含むんだって。
まっくろコゲの溶岩ににてる。
一般的な隕石ね。

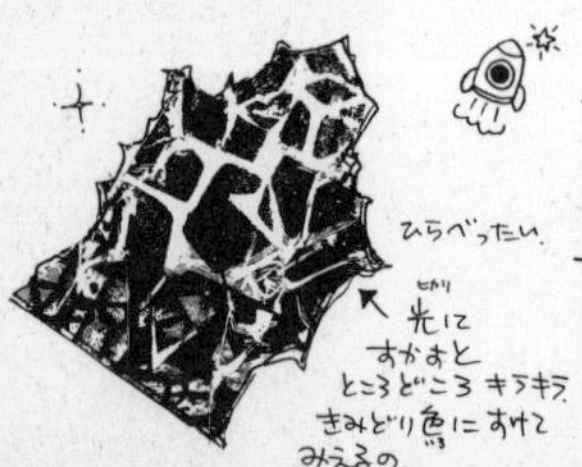

ひらべったい。
光に
すかすと
ところどころ キラキラ
きみどり色にすけて
みえるの。

コレはキレイ! 1951年
アルゼンチンにおちてきたもの。
ニッケル、鉄合金とペリドット(かんらん石)
を含む。(ペリドットはオリーブグリーン色。
—プルートちゃんのカミの毛の色ね—
8月のたん生石よ)
火星と木星の間の小惑星帯から
とんできたものらしい。

セーラームーンちゃんも もう3年目。
まだまだどんどんいろんな展開をする予定よ♡
このごろ ナオコは ちょっぴりさびしい。
おっちょこちょいで なきムシのうさぎちゃんは
いつのまにか すっかり成長し
わたしの手をはなれて
ひとりあるきを はじめています。
しんじられないコトに 日本だけでなく
世界のあちこちで。
いろんな形で リアルな世界をあるきはじめた
セーラームーンちゃん。 ナオコだけが 紙の中で
まだ 夢を みています。(でも夢をみるのがスキなの)
もう ナオコ だけの セーラームーンちゃんじゃ
ないのね なんて ナミダするコトも
あります。(ホントに。 くすん)
セーラームーンちゃんが あるきはじめた
世界は ナオコにとって とても大きくて
ナオコの 声も とどかないのだけれど…
でも いつも ねがっています。
どうぞ どこへいっても セーラームーンちゃんが
みんなに かわいがって もらえますように。
どうぞ ほんの少しでも
みんなに 好きになってもらえますように。
本をよんでくださっている ミナサマ。
テレビを みてくださっている ミナサマ。
そして セーラームーンちゃんの おしごとに
たずさわってくださっている すべての
ミナサマに。 カンシャしています。
―…ありがとう♡
ありがとうっ ♡
小兔是我的女兒!?我和阿衛的!?
哎呀呀~!?
代替月亮懲罰你!!
小淑女
閃光水幻影!
愛神維納斯鎖鏈!!
月光水晶力量
金星星光力量。
MAKE UP!!
倩尼迪…安狄美奧
阿衛…我好喜歡你。
金星回力刀!!
還無法相信…我的眼淚結晶。

さて！さいごに♡
カバーおり返しの部分の写真は
なんとあの巨匠！激写 篠山紀信大先生ッ!!
に、取材で撮っていただいたもの♡
先生ーッッ♡
ありがとーございました♡うふうふ♡
では、また⑧巻であいましょーね♡
あいコトバは ムーン・コズミック・パワー メイクアップよ
よんでくれて ホントに ありがとう♡
ナオコの大すきな 東京湾の
夜明けを 見ながら
（ナオコの おしごとべやから見る夕ぐれと
夜明けは いつも
ーキングのマントの色、ラベンダー色よっ♡）
'94. June. Naoko ♡ Takeuchi

直子の世界 どれも絶賛発売中!

KC なかよし
これが,超人気のセーラー服アクション!!

美少女戦士セーラームーン 1～6巻

1 セーラームーン華麗に登場!!

2 幻の銀水晶は,どこに?

3 いざ,シルバー・ミレニアムへ!

4 ちびうさちゃん登場!

5 キング・エンディミオンとの対面

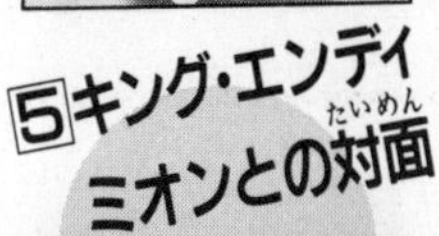

6 ちびうさが,ブラック・レディに!?

猫部ねこシリーズ

どっきんタイムトリップ　全1巻
ペンギン探偵団　全1巻
きんぎょ注意報!　全8巻

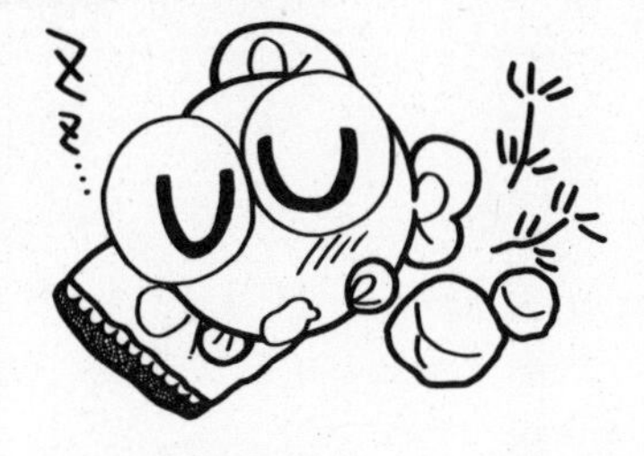

八木ちあきシリーズ

15歳のエチュード　全1巻
涙のむこうにラブゴール　全1巻
子ねこちゃんメトロノーム　全1巻
はあとシグナル　全2巻
おもちゃ箱革命　全5巻
リトル行進曲　全4巻
ポケット♡パーク　全3巻

なかの弥生シリーズ

くせになりそう♡　全1巻
㊦くせになりそう♡　①巻

木村千歌シリーズ

あずきちゃん　①巻

武内直子シリーズ

チョコレート・クリスマス　全1巻
ま・り・あ　全1巻
The チェリー・プロジェクト　全3巻
ミス・レイン　全1巻
美少女戦士セーラームーン　①〜⑦巻

上野すばるシリーズ

幸　福　堂　全2巻

あべゆりこシリーズ

わんころべえ　全1巻

立川　恵シリーズ

熱烈台風娘　①巻

早稲田ちえシリーズ

家族のモンダイ　全1巻
好きっていわない!　全1巻
神さまのいない日　全1巻

ひうらさとるシリーズ

ぼーきゅぱいん　全2巻
エンジェル・ブルー　全1巻
レピッシュ!　全3巻
月下美人ムーンライトシンデレラ　全3巻
パラダイス・カフェ　全3巻
プリティ・グッド　全1巻

高瀬　綾シリーズ

ひよこ時計Pi Pi Pi　全1巻
ぶらっでぃ・まりー　全1巻
オレンジポケット　全1巻
流れ星ロマンス　全1巻
バレンタイン参観日　全1巻
聖ルームメート　全1巻
くるみと七人のこびとたち　①～③巻

新井葉月シリーズ

いちばんいい笑顔あげる!　全1巻
心のスウィング　全1巻

富沢珠緒シリーズ

なでしこ学園　全1巻
おじょうさまカンパニー　全1巻

福原ふみよシリーズ

バレンタイン行進曲　全1巻

いがらしゆみこシリーズ

キャンディ♡キャンディ　全9巻

飛鳥あるとシリーズ

ぼくたちはDRYじゃない　全1巻
わがまま青春バレー部!　全1巻

片岡みちるシリーズ

トゥインクルきゃっと　全2巻
月うさぎ たまご姫　全1巻
わんだー・わーるど　全2巻
うしろのはてな　全1巻
しましましっぽ　全1巻

有沢　遼シリーズ

二人だけのヒミツ　全1巻
花園のヒ・ミ・ツ　全1巻
カーテンコール!　全1巻
笑顔のシグナル　全1巻

松本洋子シリーズ

だれかが見つめてる	全1巻
黒の輪舞	全1巻
黒の組曲	全1巻
殺人よ こんにちは	全1巻
シンデレラ特急	全1巻
黒の迷宮	全1巻
ストロベリー探偵団	全1巻
ばらの葬列	全1巻
ぬすまれた放課後	全2巻
呪いの黒十字	全2巻
見えないシルエット	全1巻
見知らぬ街	全1巻
怪奇博物館	全1巻
すくらんぶる同盟	全7巻
見えない顔	全2巻
殺意のメッセージ	全2巻
魔　物　語	全1巻
死を唄う星座	全1巻

あなだ♠もあシリーズ

すずめのチュンちゃん	全1巻

美内すずえシリーズ

妖鬼妃伝	全1巻

高階良子シリーズ

死者の狩人	全1巻

あゆみゆいシリーズ

ときめきの法則	全1巻
時計じかけのエトランゼ	全1巻
えんじぇる♡まじっく	全1巻
うぇるかむ!	全2巻
卒業—泣かないで—	全1巻
太陽にスマッシュ!	全2巻

ふくやまけいこシリーズ

星の島のるるちゃん	①巻

海野つなみシリーズ

恋の熱帯低気圧	全1巻

池田　貢シリーズ

シュビドゥバ家族	全1巻

たかなし♡しずえシリーズ

おはよう! スパンク	全7巻

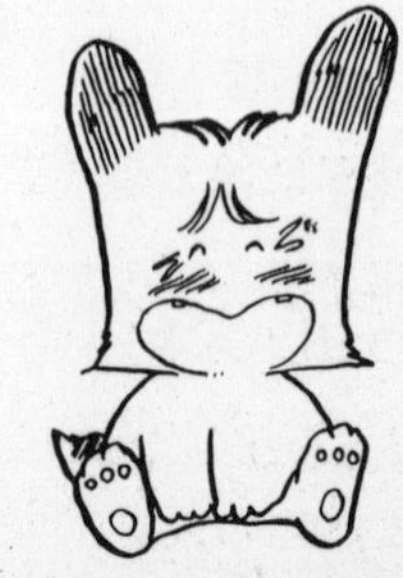

♥「KCなかよし」は、「なかよし」に掲載された作品を中心に、すぐれた作品をえらんで、つぎつぎにおおくりします。

♥いままであなたがお読みになった少女まんがの中で、いちばん印象にのこっている作品、もう一どまとめて読みたい作品がありましたら、おしらせくださいませんか。

♥また、この本を読んだご感想・ご意見などもおきかせねがえれば、たいへんうれしく思います。

＝あて先＝

東京都文京区音羽二丁目十二番二十一号
〈郵便番号一一二−〇一〉
講談社　なかよし編集部
「KCなかよし」係

N.D.C　726　187P　18cm

講談社コミックスなかよし　七八一巻

美少女戦士セーラームーン⑦

1994年7月6日　第1刷発行
（定価はカバーに表示してあります）

著者　武内直子
発行者　三樹創作
発行所　株式会社　講談社
東京都文京区音羽二−一二−二一
（郵便番号一一二−〇一）
〈電話〉
編集部　東京03（五三九五）三四八〇
KC販売部　東京03（五三九五）三六〇八
印刷所　株式会社　廣済堂
製本所　株式会社　国宝社

講談社

落丁本・乱丁本は、小社雑誌業務部宛にお送りください。送料小社負担にてお取替します。なお、この本についてのお問い合わせは、なかよし編集部宛にお願いいたします。

ISBN4-06-178781-0　（な）　Printed in Japan